QUANDO DEUS SUSSURRA O SEU NOME

MAX LUCADO

CPAD

Título do original em inglês: *When God Whispers Your Name*
Primeira edição em inglês: 1994
Word Publishing, Dallas, Texas
Tradução: Carla Mary Ribas de Souza

Revisão: Kleber Cruz
Adaptação de capa: Claudio Marques

CDD: 240-Teologia Devocional
ISBN: 85-263-0096-2

Para maiores informações sobre livros, revistas, periódicos e os últimos lançamentos da CPAD, visite nosso site: http://www.cpad.com.br

Casa Publicadora das Assembléias de Deus
Caixa Postal 331
20001-970, Rio de Janeiro, RJ, Brasil

9ª edição/2004

10ª Edição 2004

SUMÁRIO

Agradecimentos
Introdução 7
Primeira Parte – A Canção do Poeta
1. A Voz do Carrinho de Limpeza 15
2. Por que Jesus Ia a Festas 23
3. Heróis Ocultos 29
4. Seu Nome Poderia Constar na Bíblia 35
5. Conceitos 39
6. Os Cartões de Natal de Deus 43
7. Por Trás da Cortina do Chuveiro 47
8. As Perguntas de Gabriel 51
9. Qual É o Seu Preço? 55
10. Mantimentos e Graça 63
11. A Escolha 65
12. O Profeta 67
Segunda Parte – O Toque do Mestre
13. Quando os Grilos o Deixam Irritado 75
14. Enxergando o que os Olhos Não Podem Ver 83
15. Vencendo Sua Herança 89
16. A Suave Canção do Segundo Plano 95

17. Sua Mochila de Pedras 99
18. Sobre Oz e Deus 103
19. Um Trabalho Interno 107
20. Boas Notícias Antes de Dormir 113
21. Hábitos Saudáveis 117
22. DFW e o Espírito Santo 123
23. O Deus que Batalha em Seu Favor 127
Terceira Parte – O Convidado do Maestro
24. O Dom da Infelicidade 141
25. Perseverando no Caminho de Deus 145
26. Órfãos no Portão 153
27. Avistando a Nova Terra 157
28. O Nome que Apenas Deus Conhece 161
Guia Discussional 165

INTRODUÇÃO

Eu sou o bom Pastor, e conheço as minhas ovelhas,
e das minhas sou conhecido.
JOÃO 10.14

Quando olho para um rebanho de ovelhas, vejo exatamente isto: um rebanho. Um bando de casacos. Um monte de lã. Não vejo *uma* ovelha. Vejo ovelhas. Todas iguais. Sem distinção.

Mas o mesmo não acontece com o pastor. Para ele, cada ovelha é diferente. Cada face é especial e tem uma história. E cada ovelha possui um nome. *Aquela de olhos tristes é Droopy. Aquele com uma orelha levantada e a outra caída é Oscar. Aquele menor, com uma mancha preta na pata, é órfão e não tem irmãos. Chamo-o de José.*

O pastor conhece suas ovelhas. Ele as chama pelo nome.

Quando vemos uma multidão, vemos exatamente isto: uma multidão. Enchendo um estádio ou passeando por um shopping. Quando observamos uma multidão, vemos povo; não pessoas, mas povo. Uma massa humana. Um rebanho de faces, eis o que vemos.

Mas o mesmo não acontece com o Pastor. Para Ele, cada face é diferente, cada uma tem uma história. Cada rosto é uma criança. Cada criança possui um nome. *Aquela com o olhar triste é Sally. Aquele outro, com uma sobrancelha levantada e a outra para baixo, é Harry. E aquele menorzinho, coxo? É um órfão sem irmãos. Eu o chamo Joey.*

O Pastor conhece suas ovelhas. Ele conhece cada uma pelo nome. O Pastor conhece você. Ele sabe o seu nome e nunca o esquece: "Na palma das minhas mãos, te tenho gravado" (Is 49.16).

Interessante, não? Seu nome escrito nas mãos de Deus. Seu nome pronunciado pelos lábios de Deus. Talvez já tenha visto o seu nome em alguns lugares especiais. Em um prêmio ou diploma ou em uma porta de madeira. Quem sabe já o ouviu pronunciado por alguma pessoa importante – um treinador, uma celebridade ou professor. Mas pensar que o seu nome está nas mãos e nos lábios de Deus... meu nome! Como pode?

Talvez você nunca tenha visto o seu nome ser honrado, e não consegue lembrar se algum dia foi pronunciado com destaque. Se for este o caso, pode ser mais difícil acreditar que Deus conheça o seu nome.

Mas Ele conhece. Está escrito na palma das suas mãos. Pronunciado por sua boca. Sussurrado por seus lábios. Seu nome. Não só o nome que você possui, mas o nome que lhe tem reservado. Ele te dará um novo nome... mas, espere! Estou me precipitando. Falarei sobre seu novo nome no último capítulo. Esta é a introdução.

Assim sendo, posso apresentar-lhe este livro? É um livro sobre esperança. Um livro cujo objetivo é encorajar. Durante todo o ano que passou, colhi pensamentos de um campo paisagístico. E, apesar do tamanho e das variadas fragrâncias, o propósito é singular: prover a você, leitor, uma palavra de esperança. Pensei em poder ser-lhe útil.

Tenho-o em mente enquanto escrevo. Penso em você com freqüência, honestamente falando. Com o passar dos anos tenho conhecido alguns de vocês. Tenho lido suas cartas, apertado suas mãos e olhado em seus olhos. Acho que os conheço.

Você é ocupado. Muito tempo se passa até que seu trabalho esteja terminado. E, se tiver uma oportunidade para ler, esta é muito breve.

Você é ansioso. As más notícias obscurecem as boas. Os problemas são mais numerosos que as soluções. E você está preocupado. Que futuro terão seus filhos neste mundo? Qual será o seu futuro?

Você é cauteloso. Não confia mais como antes.

Os políticos mentem. O sistema falha. O ministro faz concessões. Seu cônjuge engana. Não é fácil confiar. Não é que você não queira, apenas deseja ser cauteloso.

Há mais uma coisa. Você cometeu alguns erros. Encontrei certa vez um de vocês em Michigan. Homem de negócios, você raramente sai do escritório e jamais encontra o autor. Mas, então, aconteceu. Você estava arrependido de passar tantas horas no trabalho e tão poucas em casa, e queria conversar.

E a mãe solteira em Chicago. Um filho lutando, o outro chorando. Mas, iludindo os dois, você falou o que desejava. "Cometi erros", explicou, "mas realmente gostaria de tentar novamente".

E houve aquela noite em Fresno. O músico cantou, eu chamei e você veio. Quase não o fez. Quase ficou em casa. Justo naquele dia, encontrara um bilhete de sua esposa. Ela o deixara. Mas você veio de qualquer forma. Esperando que eu tivesse algo para a dor. Esperançoso que eu respondesse. Onde Deus está num momento como este?

Assim, enquanto escrevo, penso em você. Em todos vocês. Vocês não são maliciosos. Não são maus. Não são duros de coração (cabeças-duras, ocasionalmente). Vocês, realmente, querem fazer o que é certo. Mas, às vezes, a vida declina. Ocasionalmente, precisamos de um lembrete.

Não um sermão.

Um lembrete.

Um lembrete de que Deus conhece o seu nome.

Muitos capítulos foram examinados para este livro, porém nem todos selecionados. Além do mais, nem todo capítulo se encaixava nos parâmetros. Brevidade era um requisito, pois você é ocupado. Esperança era necessária, pois você é ansioso. Lealdade às Escrituras era um mandamento, pois você é cauteloso. Visei fornecer-lhe um repertório de capítulos que recite bem o lirismo da graça e cante bem a melodia do contentamento. Por ser o convidado do Maestro, Ele está preparando um concerto que você nunca esquecerá.

Primeira Parte

A Canção do Poeta

Minha esposa tem paixão por antiguidades. Eu não (acho que são um pouco velhas). E, porque a amo, ocasionalmente flagro a mim mesmo cuidando de três crianças em alguma loja de antiguidades enquanto Denalyn faz suas compras.

Este é o preço do amor.

O segredo para sobreviver em meio às compras de relíquias é encontrar uma cadeira, um velho livro e sossegar durante longas horas. Foi exatamente o que fiz ontem. Após instruir as crianças a olharem com os olhos e não com as mãos, sentei-me em uma aconchegante cadeira de balanço para ler algumas revistas dos anos cinqüenta.

Foi quando ouvi a música, vinda de um piano. Maravilhosa. Vintage Rogers e Hammerstein. A música ganhava vida com a habilidade do pianista.

Virei-me para ver quem estava tocando, porém não consegui. Coloquei-me de pé e cheguei mais perto. Um pequeno grupo de ouvintes havia se reunido ao redor do pianinho. Por entre a mobília, pude ver o pequeno pianista pelas costas. Oh, é apenas uma criança! Mais alguns passos e consegui ver o cabelo. Louro, curto, bem parecido com... meu Deus, é Andrea!

Nossa garotinha de sete anos estava ao piano, deslizando seus dedos para cima e para baixo no teclado. Eu estava atordoado. Qual seria esse dom dos céus que a fazia tocar daquela maneira?

Com certeza, tratava-se de algum gene proveniente do meu lado familiar. Mas ao aproximar-me um pouco mais, percebi que ela não estava tocando a música, e sim, apenas tentando acompanhá-la com seus movimentos. Embora parecesse que estava tocando, na realidade, minha filha apenas acompanhava as teclas que subiam e desciam sozinhas.

Ah, mas se você pudesse ver sua pequena face, cheia de alegria! Olhos e pés dançando, pois ela podia ficar em pé e tocar ao mesmo tempo. Pude compreender o motivo de tanta alegria. Ela sentou-se, para tentar tocar "O Bife" e acabou tocando "O Som da Música". Além do mais, não poderia errar, pois alguém melhor do que ela estava ditando a música. Andrea estava livre para tocar o quanto desejasse, sabendo que a música não desafinaria.

Não admira que ela tenha ficado tão alegre. E tinha toda a razão para tal, assim como nós.

Deus não nos prometeu a mesma coisa? Sentamo-nos ao teclado, dispostos a tocar a única canção que conhecemos, apenas para descobrir uma nova melodia. Um som sublime. E ninguém se surpreende mais do que nós quando nossos pobres esforços são transformados em momentos melodiosos.

Você possui sua própria canção e está consciente disto, assim como cada um de nós. Porém o âmago da questão é: você a tocará?

A propósito, ao assistir Andrea "tocando" piano naquele dia observei algumas coisas. Notei que o instrumento tomou todo o crédito. As pessoas reunidas ao seu redor apreciavam seu esforço, mas conheciam a fonte da música. O mesmo acontece quando Deus trabalha. Podemos aplaudir o discípulo, mas ninguém melhor do que ele sabe quem realmente merece o louvor.

Isto não tira o seu mérito. Certamente não tirou o de Andrea ao piano. Por quê? Ela sabia que não poderia falhar. Mesmo não compreendendo como ele funcionava, tinha certeza de que o faria muito bem.

Então ela sentou-se ao teclado – e teve o momento de sua vida.

Mesmo que você não saiba como Deus trabalha, tem certeza de sua eficiência.

Então, siga em frente. Puxe o banquinho, sente-se ao piano e toque.

CAPÍTULO UM

A Voz do Carrinho de Limpeza

O saguão está silencioso, exceto pelas rodas do carrinho de limpeza e o arrastar dos pés do velho homem. Ambos parecem cansados.

Ambos conhecem este chão. Quantas noites Hank já o limpou? Zeloso nos mínimos detalhes, limpa os cantinhos e coloca o aviso de precaução sobre piso molhado. Sempre alegre enquanto trabalha.

– Tenham cuidado – brinca consigo, sabendo que ninguém está por perto.

Não às três horas da madrugada.

A saúde de Hank já não é a mesma. A gota o mantém acordado. A artrite o faz mancar. As grossas lentes de seus óculos fazem seu globo ocular parecer duas vezes maior. Seus ombros estão caídos. Porém, ele continua o seu trabalho. Derramando um líquido para limpar o tapete. Esfregando as marcas dos sapatos deixadas pelos advogados endinheirados. Ele terá acabado uma hora antes do seu horário de saída. Há vinte anos a cena se repete.

Ao terminar, coloca de lado o carrinho, senta-se do lado de fora do escritório de seu chefe e espera. Embora podendo, nunca sai mais cedo. Ninguém ficaria sabendo.

Ele quebrou a regra uma vez – para nunca mais.

Algumas vezes, se a porta estiver aberta, ele entra no escritório. Não por muito tempo. Apenas para olhar. A sala é maior que o seu apartamento. Ele passa os dedos pela escrivaninha, aprecia o aconchegante sofá de couro, fica em pé olhando pela janela e observa o céu cinza tornar-se dourado. Então, recorda que certa vez já teve um escritório similar.

Lembra quando Hank era Henry. Quando o preso sob custódia era um executivo. Isto foi há muito tempo. Antes do trabalho noturno, do carrinho de limpeza, do uniforme da manutenção. Antes do escândalo.

Hank não costuma mais pensar sobre o assunto. Não há motivos para tal. Meteu-se em encrencas e foi despedido. Não são muitas as pessoas que sabem da história. Assim é melhor. Não há necessidade de contar.

É seu segredo.

A propósito, a história de Hank é verdadeira. Modifiquei apenas o nome e um ou outro detalhe. Dei-lhe um trabalho diferente e o coloquei em outro século. Mas a história é um fato. Você já ouviu sobre ela e a conhece. Quando eu falar o verdadeiro nome do personagem, logo se recordará.

Porém, mais que uma história, é um exemplo comum de sonho descarrilhado. É uma história de grandes esperanças colidindo com cruéis realidades.

Acontece com todos os sonhadores. E, uma vez que todos sonham, acontece com cada um de nós.

No caso de Hank, foi um equívoco que ele nunca poderia esquecer. Um erro grave. Hank matou alguém: perdeu o controle, surrou e matou um homem inocente. Matou um arruaceiro. Quando o fato foi descoberto, Hank fugiu.

Ele preferiu esconder-se a ser preso. Então correu. O executivo tornou-se um fugitivo.

Uma história verdadeira e comum. A maioria delas não é tão extremada quanto a de Hank. Poucas pessoas passam a vida fugindo da lei, no entanto, muitos vivem carregando seus remorsos.

– Eu poderia ter conseguido uma bolsa de estudos e freqüentado a universidade – disse-me um colega na semana passada.

– Tive uma oferta e fui tocar em uma banda de rock; saí da escola e nunca mais voltei. Agora conserto portas de garagens.

"Agora estou empatado" – epitáfio de um sonho descarrilhado.

Se conversarmos com jovens de segundo grau e ouvirmos seus planos para o futuro, ficaremos atônitos com seus sonhos tão sublimes:

Ser um médico.

Construir uma escola.

Dar aulas.

Ser um físico conceituado.

Ser um escritor e morar em outro país.

Com o passar do tempo, veremos que alguns sonhos se realizarão, muitos não. Nem todos deveriam, você pode pensar. Espero que o pequeno menino que sonhou ser um grande lutador tenha compreendido. E espero que ele não tenha perdido sua paixão durante o processo. Mudar de direção na vida não é trágico. Perder a paixão sim.

Algumas coisas nos acontecem ao longo do caminho. As convicções para modificar o mundo decadente são transformadas em comprometimentos para pagar as contas. Ao invés de fazer a diferença, fazemos o salário. Ao invés de olhar adiante, olhamos para trás. Ao invés de olhar para fora, olhamos para dentro.

E não gostamos do que vemos.

Hank também não. Ele viu um homem marcado pela mediocridade. Treinado nas melhores instituições do mundo, trabalhava durante a noite, ganhando salário mínimo, para não ser visto durante o dia.

Porém tudo mudou quando ele ouviu a voz, vinda do carrinho de limpeza. (Não falei que era uma história real?)

Primeiro, pensou tratar-se de uma brincadeira. Alguns companheiros do terceiro andar costumavam pregar esse tipo de peça.

– Henry, Henry! – chamou a voz.

Hank virou-se. Ninguém mais o chamava de Henry.

– Henry, Henry!

Ele virou-se na direção do balde. Este ficara incandescente, em vermelho vivo. Estava quente. Podia-se sentir o calor a muitos metros de distância. Hank aproximou-se e olhou dentro dele. A água não estava fervendo.

"Que coisa estranha", pensou Hank, dando outro passo para olhar mais de perto. Porém, a voz o impediu.

– Não chegue mais perto. Tire seus sapatos. Você está em solo santo.

Subitamente, Hank percebeu quem estava falando.

– Deus?

Não estou confundindo as coisas. Sei que você está pensando isto. Parece loucura. Quase irreverência. Deus falando através de um carrinho de limpeza, com um zelador chamado Hank? Seria viável, caso eu dissesse que Deus falou através de uma sarça ardente com um pastor de ovelhas chamado Moisés?

Talvez seja mais fácil crer no segundo exemplo, pois já lhe é familiar. Mas o fato de ser Moisés e uma sarça, ao invés de Hank e um carrinho de limpeza, não torna o fato menos espetacular. Aquilo certamente chocou Moisés. Imaginamos o que mais tenha impressionado o velho companheiro: o fato de Deus ter falado através de uma sarça ou de Deus ter falado.

Moisés, assim como Hank, havia cometido um erro.

Você se recorda da história. Adotado pela nobreza. Um israelita educado em um palácio egípcio. Os homens do campo eram escravos, mas Moisés era um privilegiado. Assentava-se à mesa real. Educado nas escolas mais finas.

Porém, sua professora mais influente não hesitou. Ela era sua mãe. Uma judia contratada para cuidar dele.

– Moisés – você quase pode ouvi-la sussurrando a seu jovem filho. – Deus o colocou aqui com um propósito. Um dia você libertará nosso povo. Nunca se esqueça, Moisés. Nunca se esqueça!

E ele assim fez. A chama da justiça inflamou-se até o esplendor. Moisés viu um egípcio bater em um escravo hebreu. Assim como Hank, matou o arruaceiro. Moisés matou o egípcio.

No dia seguinte, Moisés viu o hebreu. Você pode achar que o escravo lhe agradeceu, mas não. Ao invés de demonstrar gratidão, ele expressou raiva:

– Pensas matar-me, como mataste o egípcio? – ele perguntou. (Leia Êx 2.14.)

Moisés, sabendo que estava encrencado, fugiu do Egito em direção ao deserto. Chamemos de mudança de carreira. Ele passou de jantares com os maiorais do estado a pastor de ovelhas.

Mudança dura, porém ascendente.

Então aconteceu que um hebreu brilhante e promissor começou a pastorear ovelhas nas montanhas. De Harvard para retalhos de algodão. Do mais conceituado escritório de advocacia para um táxi. Da faculdade de medicina para o fundo do poço.

Moisés pensou que a mudança seria permanente. Não há indícios de que ele tivesse intenção de voltar ao Egito. Na verdade, há indicações de que desejava ficar com suas ovelhas. Descalço, diante da sarça ardente, ele confessou:

– Quem sou eu, que vá a Faraó e tire do Egito os filhos de Israel? (Êx 3.11).

Fico feliz com a pergunta de Moisés. É uma boa indagação. Por que Moisés? Ou, mais especificamente, por que o Moisés de oitenta anos de idade?

O quarentão que vimos no Egito era mais impetuoso e confiante. Porém, o Moisés que encontramos quatro décadas depois é relutante e castigado pelo tempo.

Caso você ou eu tivéssemos olhado para Moisés no Egito, teríamos dito:

– Este homem está pronto para a batalha.

Educado nos mais requintados sistemas do mundo. Treinado pelos mais hábeis soldados. Acesso direto ao círculo mais íntimo de Faraó. Moisés falava a língua deles e conhecia os seus hábitos. Ele era o homem perfeito para o trabalho.

Moisés aos quarenta: como o achamos perfeito! Mas, e aos oitenta? Sem chances. Muito velho, cansado, cheirando a pastor de ovelhas. Falando como estrangeiro. Que impacto causaria a Faraó? Ele é o homem errado para esta missão.

E Moisés teria concordado:

– Já tentei fazer isso – ele diria. – Aquelas pessoas não querem ajuda. Deixe-me aqui, cuidando de minhas ovelhas. Elas são fáceis de conduzir.

Moisés não teria ido. Você não o teria enviado. Eu também não.

Mas Deus o enviou. Como você imagina esta situação? Importante aos quarenta e adequado aos oitenta. Por quê? O que ele sabe agora que não sabia antes? O que aprendeu no deserto que não no Egito?

Para começar, os caminhos do deserto. O Moisés de quarenta anos era um homem da cidade. Já o octogenário conhece o nome de cada cobra e a localização de cada poço de água. Se ele vai liderar milhares de hebreus no deserto, precisa ter noções básicas da vida local.

Dinâmica familiar é a segunda coisa que aprende. Se ele vai viajar com famílias durante quarenta anos, precisa entender do assunto. Ele casa-se com uma mulher de fé, filha de um sacerdote midianita e estabelece sua própria família.

Porém, mais que famílias e caminhos do deserto, Moisés precisava aprender algo sobre si mesmo.

Aparentemente havia aprendido. Deus disse que ele estava pronto.

E, para convencê-lo, Deus fala através de um arbusto. (Havia a necessidade de algo dramático para atrair a atenção de Moisés.)

– Acabou o aprendizado – informa-lhe Deus. – Chegou o momento de trabalhar.

Pobre Moisés. Nem sabia que estava matriculado.

Mas estava. E, adivinhe, você também está. A voz proveniente do arbusto lhe confidencia. Ela o faz lembrar que Deus não terminou a obra em sua vida. Ah, você pode pensar que sim, pois está no cume. Pode pensar que ele designará outra pessoa para o trabalho.

Se este for o seu caso, pense novamente.

"[Deus] que em vós começou a boa obra a aperfeiçoará até o Dia de Jesus Cristo".

Você viu o que Deus está fazendo? *Uma boa obra em você.*

Leu quando ela estará concluída? *Quando Jesus voltar.*

Posso soletrar a mensagem? *Deus ainda não terminou a obra em sua vida.*

Seu Pai deseja que saiba isto. E, a fim de convencê-lo, poderá surpreender você. Ele pode falar através de uma sarça ardente, um carrinho de limpeza ou, mais estranho ainda, através deste livro.

CAPÍTULO DOIS

Por que Jesus Ia a Festas

Esta semana eu planejava escrever um capítulo baseado em 12 versículos, porém não consegui passar do segundo. Realmente tentei prosseguir, mas fui impedido. O segundo verso me prendeu. Por esta razão, o segundo capítulo discorre completamente sobre ele. É uma frase pequena, mas cativante.

Falarei do assunto após descrever a cena.

Imagine seis homens andando por uma estrada estreita. O amanhecer desponta sobre eles, projetando suas sombras. Suas túnicas os protegem do frio matinal. A grama brilha com as gotas do orvalho.

As faces dos homens são ansiosas, porém comuns. Seu líder é seguro, mas desconhecido. Eles o chamam Rabi; parece mais um trabalhador. E, como deveria, passa muito mais tempo construindo que ensinando. Mas esta semana o ensinamento iniciara.

Para onde estão indo? Adorar no Templo? Ensinar na sinagoga? Orar nas montanhas? Ninguém lhes contara, no entanto cada um tinha sua própria opinião.

João e André esperavam ser guiados pelo deserto. Seu mestre anterior os havia conduzido àquele lugar. João Batista os levara as montanhas estéreis, onde oraram durante horas. Quatro dias jejuaram. Eles ansiavam pelo Messias. E agora o Messias estava com eles.

Certamente, Ele faria o mesmo.

Todos sabem que o Messias é um homem santo, e que a abnegação é o primeiro passo à santidade. Certamente, a voz de Deus é ouvida, em primeiro lugar, pelos eremitas. *Jesus está nos levando ao isolamento.* Ao menos era o que pensavam João e André.

Pedro tem uma outra opinião. É um homem de ação, do tipo "vamos arregaçar as mangas". O tipo de amigo que toma partido para defender alguém. Agrada-lhe a idéia de ir a algum lugar. O povo de Deus tinha necessidade de se locomover. *Provavelmente, está nos levando a algum lugar para pregar*, pensa consigo. Enquanto caminham, Pedro faz um esboço de seu sermão, caso Jesus necessitasse tomar fôlego.

Natanael discordava.

– Vem e vê – convidara-o o amigo Filipe, e ele foi.

E Natanael gostou do que viu. Em Jesus, ele viu um homem de profundas reflexões. Um homem de meditação. Um coração contemplativo. Um homem que, como Natanael, havia passado horas debaixo de uma figueira refletindo sobre os mistérios da vida. Natanael estava convicto de que Jesus os estava conduzindo a um local para ponderar. *Uma casa sossegada nas distantes montanhas, é para onde estamos nos dirigindo.*

E Filipe? O que pensava? Ele era o único apóstolo com um nome gentio. Quando os gregos procuravam por Jesus, era de Filipe que se aproximavam. Talvez por ele ter ligações com os gregos. Provavelmente, gostava dos gentios. Fosse assim, ele esperava uma jornada missionária – fora da Galiléia. Fora da Judéia. Em uma terra distante.

Esta especulação realmente ocorreu? Quem sabe? Sei que acontece nos dias de hoje.

Sei que os seguidores de Cristo com freqüência alistam-se com grandes aspirações e expectativas. Os discípulos seguem o caminho sem palavras, contudo seus corações estão cheios. Lábios preparados para pregar a milhares. Olhos fixos em terras estrangeiras. *Sei para onde Jesus nos levará,* pensavam os jovens discípulos, e, como os cinco primeiros, seguiam-no surpresos.

Talvez André ou Pedro tenha perguntado. Pode ser que todos tenham se aproximado de Jesus. Minha opinião é que, em algum ponto na jornada, os discípulos expressaram suas hipóteses.

– Então, Rabi, aonde está nos levando? Ao deserto?

– Não – opinou o outro. – Ele está nos conduzindo ao Templo.

– Ao Templo? – duvida o terceiro. – Estamos a caminho dos gentios!

Forma-se um coro de confusão, que só tem fim quando Jesus levanta as mãos e diz suavemente:

– Estamos indo a um casamento.

Silêncio. João e André entreolham-se.

– Um casamento? – disseram. – João Batista nunca teria ido a um casamento, pois há bebidas, gargalhadas e danças...

– E barulho! – completa Filipe. – Como pode-se meditar em meio a uma festa barulhenta?

– Ou pregar em um casamento? – acrescenta Pedro.

– Por que iríamos a um casamento?

Boa pergunta. Por que Jesus, em sua primeira jornada, levou seus discípulos a uma festa? Não tinham eles trabalho a fazer? Não tinha Ele princípios a ensinar? Não era o seu tempo limitado? Como um casamento podia encaixar-se em seu propósito na Terra?

Por que Jesus foi ao casamento?

A resposta? Encontramos em João 2.2 (o versículo do qual não consegui passar): "E foram também convidados Jesus e seus discípulos para as bodas".

Quando o noivo e a noiva juntaram suas listas de convidados, o nome de Jesus estava incluído. E, quando Ele apareceu com meia dúzia de amigos, o convite não foi rescindido. Qualquer que fosse o anfitrião, estava feliz com a presença de Jesus.

– Certifique-se de que o nome de Jesus esteja na lista – ele deve ter dito. – Ele realmente dá vida à festa.

Jesus não fora convidado por ser uma celebridade. Não naquele momento. O convite não fora feito por causa de seus milagres, se tivesse feito algum. Por que ele recebeu o convite?

Suponho que gostavam dEle.

Grande coisa? Penso que sim, pois é significativo que amigos de uma pequena cidade sentissem prazer em estar com Jesus. É notável que o Todo-poderoso não fosse solene. Tampouco era do tipo sabe-tudo ou sou-mais-santo-que-vocês. AquEle que criou as estrelas não as tinha em mente. O Dono de toda a Terra e de tudo que nela há nunca se gabou disto.

Nunca. Ele poderia ter-se gabado – e como!

Ele poderia ter dito vez por outra:

– *Já contei a vocês sobre o dia em que Moisés e eu fomos até a montanha?*

Poderia também ser exibido:

– *Querem que eu conte como será o século XX?*

Quem sabe um espertinho:

– *Sei o que você está pensando. Quer que eu diga?*

Ele poderia ter sido sabichão e arrogante:

– *O planeta Júpiter também é meu...*

Jesus poderia ter sido tudo isso, mas não foi. Seu objetivo não era se exibir, e sim destacar-se. Ele passou por grandes dores, para ser um homem como qualquer outro. Não precisava estudar, mas ainda assim freqüentou a sinagoga. Mesmo não necessitando de salário, trabalhava na marcenaria. O Cristo conhecera a amizade dos anjos e ouvira as harpas celestiais, e mesmo assim ia a festas oferecidas por coletores de impostos. E, mesmo estando sobre seus ombros o desafio de redimir a criação, Ele ainda tinha tempo para caminhar quase 145 quilômetros, de Jericó a Caná, para ir a um casamento.

Por isso as pessoas gostavam dEle. Oh, havia os que desdenhavam suas reivindicações. Chamavam-no blasfemador, porém nunca de fanfarrão. Acusavam-no de herege, mas nunca de arrogante. Foi tachado de radical, não de inacessível.

Não há alusão ao fato de Ele ter usado seu status celestial em benefício próprio. Nunca. A Bíblia não dá nenhuma indicação de que seus vizinhos tenham ficado irritados com sua arrogância a ponto de perguntar:

– Quem fez de você Deus?

Sua maneira de viver o fez querido, e não detestável. A nossa deveria fazer o mesmo conosco!

De onde provém a idéia de que o bom cristão deve ser solene? Quem iniciou os rumores sobre a necessidade de o cristão andar de cara fechada? Como criamos a premissa de que os verdadeiros abençoados são os de cara amarrada?

Posso dar minha opinião sobre o motivo por que Jesus foi ao casamento? Leia a explicação até o final para que possa entendê-la. Não tire conclusões apressadas! Ele foi ao casamento para se divertir. Pense nisto: Jesus havia passado por momentos difíceis. Quarenta dias no deserto. Sem pão ou água. A batalha contra Satanás. Uma semana com alguns galileus principiantes. A mudança de trabalho. Havia deixado sua casa, o que não foi fácil. Uma pausa seria bem-vinda. Boa comida, música e alguns amigos... soa muito bem.

Então, puseram-se a caminho.

Seu propósito não era transformar água em vinho. Aquele foi um favor a seus amigos.

Seu propósito não era demonstrar o poder que possuía. O anfitrião pode nem ter ficado sabendo o que Jesus fizera.

Tampouco era pregar. Não há registros de sermão.

Resta apenas uma explicação. Divertimento. Jesus foi ao casamento porque gostava das pessoas e da comida. Ele era um amigo querido. E seus discípulos deveriam fazer o mesmo. Não estou falando sobre deboches, bebedeira e adultério. Tampouco apoiando concessões, grosserias ou obscenidades. Estou simplesmente lutando pela liberdade de poder participar de uma boa brincadeira, animar uma festa triste e apreciar uma noite divertida.

Talvez estes pensamentos o tenham pego de surpresa. Aconteceu comigo também. Não demorou muito tempo para que eu visse Jesus por este ângulo. Mas Ele era assim. Seus adversários o acusavam de ser um comilão, beberrão e estar com as pessoas erradas! (Leia Mt 11.19.)

Preciso confessar que há algum tempo não sou acusado de me divertir muito. E você?

Costumávamos ser bons nisto. O que aconteceu conosco? O que aconteceu com o divertimento saudável e a boa risada? São nossas gravatas que nos sufocam? São nossos diplomas que nos engrandecem? São os bancos cativos da igreja que nos formalizam?

Conseguiríamos aprender a ser criança novamente?

Tragam as bolinhas de gude! (E se os sapatos ficarem arranhados?)

Tragam o carrinho de rolemã! (E se sujarmos a roupa?)

Tragam o ioiô! (E se ele nos acertar os dentes?)

Seja criança novamente. Divirta-se. Sorria. Molhe sua bolacha no copo de leite. Tire uma soneca. Peça desculpas, caso tenha magoado alguém. Caçe uma borboleta. Volte a ser criança!

Solte-se! Você não tem algumas pessoas para abraçar, pedras para pular ou lábios para beijar? Se alguém precisa achar engraçado o coelho Pernalonga, que seja você. Algum dia aprenderá a se divertir, e é melhor que seja agora. Um dia você se aposentará, porque não hoje?

Não estou falando sobre aposentadoria do trabalho, mas de suas atitudes. Honestamente, a reclamação tem melhorado seus dias? A murmuração tem pago suas contas? A preocupação com o amanhã o tem ajudado?

Deixe que outra pessoa se preocupe por alguns momentos.

Jesus tirou um tempo para se divertir... não deveríamos fazer o mesmo?

CAPÍTULO TRÊS

Heróis Ocultos

Os verdadeiros heróis são difíceis de ser identificados. Eles não demonstram. Eis um exemplo.

Acompanhe-me a uma desagradável masmorra na Judéia. Olhe pela greta da minúscula janela. Observe a péssima condição do homem ao chão. Ele acaba de inaugurar o maior movimento da História. Suas palavras dispararam uma revolução que duraria dois milênios. Futuros historiadores o descreveriam como corajoso, nobre e visionário.

Porém, naquele momento, ele não se parecia como tal. Aspecto faminto. Barba por fazer. Sua face cauterizada pela perplexidade. Ele recosta-se contra a parede fria, fecha os olhos e suspira.

João nunca conhecera a dúvida. A fome, sim. Solidão, com freqüência. Mas, dúvida? Nunca. Apenas convicção, pronunciamentos implacáveis e ásperas verdades. Este era João Batista. Convicto como o ardente sol do deserto.

Agora, porém, o sol está encoberto e a coragem diminui. Chegaram as nuvens. E, ao enfrentar a morte, ele não canta vitória, apenas questiona. Seu ato final não é uma proclamação de coragem, mas uma confissão de dúvida:

– Descubram se Jesus é ou não o Filho de Deus.

O precursor do Messias tem agora medo de falhar:

– *Descubram se falei a verdade. Se mostrei o verdadeiro Messias. Descubram se eu estava certo ou simplesmente enganando.*

Não parece heróico, concorda?

Gostaríamos que João tivesse morrido em paz. Preferiríamos que o desbravador desse uma olhada do topo da montanha. Parece justo que o marinheiro veja a terra. Além do mais, Moisés não pôde ver o vale? Não era João o primo de Jesus? Se alguém merecia ver o fim da trilha, era ele.

Aparentemente, a resposta é negativa.

João nunca presenciou os milagres que profetizou. O reino que anunciou, não conheceu. E agora duvida do Messias a quem proclamou.

João não parece o profeta da transição entre a Lei e a graça. Tampouco se assemelha a um herói.

Os heróis raramente parecem como tais.

Posso levá-lo a outra prisão para um exemplo?

Trata-se agora de uma prisão romana. O homem chama-se Paulo. O que João fez para apresentar Jesus, Paulo fez para explicá-lo. João abriu o caminho, Paulo levantou os postes sinalizadores. Assim como João, Paulo moldou a História. E, como João, Paulo morreria na prisão como um déspota. Não houve anúncios de sua execução. Nenhum observador registrou os acontecimentos. Quando o machado cortou o pescoço de Paulo, os olhos da sociedade não pestanejaram. Para eles, Paulo era um peculiar provedor, e de uma fé singular. Observe a prisão e veja por si mesmo: curvado e frágil, algemado ao braço do soldado romano. Observe o apóstolo de Deus. Quem sabe a última vez em que suas costas sentiram o conforto de uma cama ou sua boca provara uma boa refeição? Três décadas de viagens e problemas, e o que ele havia ganho que pudesse mostrar?

Há disputas em Filipos, competição em Corinto, os legalistas estão aglomerados na Galácia. Creta é infestada de ladrões, Éfeso, de mulherengos. Mesmo alguns amigos de Paulo voltaram-se contra eles.

Sem dinheiro, família ou propriedades. Míope e exausto.

Oh! Ele teve seus momentos. Certa vez falou ao imperador, mas não pôde convertê-lo. Deu uma palestra no Areópago, mas não foi convidado a retornar. Passou uns poucos dias com Pedro e os outros em Jerusalém, mas como pareciam não fazer muitos progressos, Paulo seguiu viagem.

Nunca desistiu. Éfeso, Tessalônica, Atenas, Siracusa, Malta. A única lista maior do que seu itinerário foi a de seu infortúnio. Apedrejado em uma cidade e desamparado em outra. Quase afogado tantas vezes quanto faminto. Caso permanecesse mais do que uma semana no mesmo local, seria provavelmente preso.

Ele nunca recebeu salário. Tinha de pagar suas próprias despesas de viagem, arranjando trabalhos de meio período nas horas vagas para equilibrar o orçamento.

Não parece um herói.

Tampouco soa como tal. Ele qualificou-se como o pior pecador da História. Era um assassino de crentes antes de ser um líder cristão. Nos momentos em que seu coração se mostra extremamente pesaroso, Paulo acusa-se ao escrever: "Miserável homem que sou! Quem me livrará do corpo desta morte?" (Rm 7.24).

Só Deus sabe quanto tempo ele se questionou antes de encontrar coragem para desafiar a lógica e escrever: "Dou graças a Deus por Jesus Cristo, nosso Senhor".

Em um momento ele está convicto, no outro, em dúvida. Um dia prega a Palavra, no outro está preso. E, é neste ponto que chamo sua atenção. Olhe para ele no cárcere.

Finja que não o conhece. Você é um guarda, ou cozinheiro, ou amigo do carcereiro, e veio dar uma última olhada no condenado enquanto afiam a lâmina.

O que você vê na cela não significa muita coisa. Porém ouso dizer:

– Este homem mudará o curso da História!

Pode achar engraçado, mas prossigo:

– A fama de Nero enfraquece sob a luz deste homem. Suas igrejas morrerão. Mas, e seus pensamentos? Em duzentos anos, influenciarão o ensino de cada escola do continente. Vê estas cartas rabiscadas em pergaminhos? Elas serão lidas em milhares de línguas e causarão impacto em cada grande doutrina e constituição do futuro. Cada pessoa importante as lerá. Todos as lerão.

Este pode ser o ponto crucial:

– De jeito nenhum. Ele é um velho com uma fé estranha. Será morto e esquecido antes que sua cabeça chegue ao chão.

Quem poderia discordar?

O nome de Paulo espalhou-se como o pó em que seu corpo seria transformado.

Assim como João. Nenhum observador equilibrado pensaria de outra forma. Ambos eram nobres, porém passageiros. Corajosos, porém pequenos. Radicais, ainda que despercebidos. Ninguém – repito: ninguém – despediu-se desses homens na certeza de que seus nomes seriam lembrados por mais de uma geração.

As pessoas não tinham como saber – nós também não.

Por esta razão, o herói pode estar na porta ao lado sem que você saiba. Pode ser o companheiro que troca o óleo do seu carro. Um herói de macacão? Talvez. Talvez, enquanto trabalhe, o funcionário ore, pedindo a Deus que faça no coração do motorista o que ele faz no motor.

A professora da escola ou creche onde você deixa as crianças? Pode ser. Quem sabe suas orações matinais não incluam o nome de cada criança e o sonho de que alguma delas venha a transformar o mundo. Deus está ouvindo, e ninguém pode negar!

A oficial de condicional no centro da cidade? Pode ser uma heroína. Ela poderia desafiar as ex-condenadas a encorajar os adolescentes a não entrar para as quadrilhas.

Sei que estas pessoas não se ajustam à nossa concepção de heróis. Eles parecem tão, tão... bem, normais. Cite quatro estrelas, títulos e manchetes. Estou certo de que para cada herói destacado há dezenas nas sombras. Eles não estão na imprensa. Não atraem multidões. Nem mesmo escrevem livros!

Mas, por trás de cada avalanche há um floco de neve.

Por trás de uma rocha lisa, há um cristal.

Uma explosão atômica inicia-se com um átomo.

E um reavivamento pode começar com um sermão.

A história o comprova. John Egglen jamais pregara um sermão em sua vida. Nunca.

Não significa que ele não o quisesse fazer, apenas nunca precisara. Mas, certa manhã o fez. A neve deixou sua cidade, Colchester, na Inglaterra, completamente branca. Ao acordar naquele domingo, em janeiro de 1850, pensou em ficar em casa. Quem iria à igreja com aquele tempo?

Então, reconsiderou. Além do mais, ele era o diácono. E se os diáconos não fossem, quem iria? Então, calçou as botas, colocou o chapéu e andou quase dez quilômetros até à Igreja Metodista. Ele não foi o único membro que pensou em ficar dentro de casa. Apenas 13 pessoas compareceram. Doze membros e um visitante. Até o pastor ficou impedido pela neve. Alguém sugeriu que voltassem para suas casas. Egglen não lhe deu ouvidos. Eles vieram de tão longe, então realizariam o culto. Além do mais, havia um visitante. Um garoto de 13 anos.

Quem pregaria? Pelo fato de Egglen ser o único diácono, estava com a palavra.

E assim pregou. Seu sermão durou apenas dez minutos. Ele vagueou e não foi objetivo na tentativa de abordar os vários pontos. Mas, ao final, uma coragem não característica de sua personalidade aflorou. Egglen dirigiu seu olhar diretamente para o garoto e o desafiou:

– Jovem, olhe para Jesus! Olhe! Olhe! Olhe!

O desafio causou alguma diferença? Deixe que o garoto, agora um homem, responda.

– Olhei, e então a nuvem do meu coração se dissipou, as trevas foram embora e naquele momento pude ver o Sol.

O nome do garoto? Charles Haddon Spurgeon. Príncipe inglês dos pregadores.

Egglen sabia o que estava fazendo? Não.

Os heróis sabem quando agem de maneira heróica? Raramente.

Os momentos históricos são reconhecidos quando acontecem?

Você sabe a resposta. (Caso não saiba, uma visita à manjedoura refrescará sua memória.)

Raramente reconhecemos a História quando ela está ocorrendo, e igualmente os heróis. O que pode também acontecer é confundirmos ambos.

Mas façamos o possível para manter nossos olhos abertos. O Spurgeon de amanhã pode estar cortando a sua grama. E o herói que o inspirará pode estar mais próximo do que imagina.

Ele pode estar em seu espelho.

CAPÍTULO QUATRO

Seu Nome Poderia Constar na Bíblia

Eis algumas histórias bíblicas em que tudo correu certo. Esta é uma delas. Ela tem três personagens.

O primeiro é Filipe, o discípulo da Igreja Primitiva que tinha predileção pelas pessoas perdidas. Certo dia, ele foi instruído por Deus a pegar a estrada que ligava Gaza a Jerusalém. Era uma estrada deserta. E ele foi. Ao chegar, encontrou o superintendente da Etiópia.

Filipe deve ter ficado um pouco apreensivo. É como estar em uma lambreta, seguindo o secretário do tesouro. Ao olhar, você nota que ele está lendo a Bíblia, e voluntariamente oferece seus serviços.

Foi o que fez Filipe.

– Você compreende o que está lendo?

– Como posso, se ninguém me explicar?

E foi o que Filipe fez: um estudo bíblico na biga. Tão convincente que o etíope é batizado naquele dia. Então, eles se separam. Filipe vai para um lado, e o etíope, para outro. A história tem um final feliz. Filipe ensina, o etíope obedece e o Evangelho é levado à África.

Mas esta não é toda a história. Lembre-se de que citei três personagens. O primeiro era Filipe, o segundo, o etíope. Você viu o terceiro? Leia os versículos a seguir e tome nota.

"E o anjo do Senhor falou a Filipe, dizendo: Levanta-te e vai para a banda do Sul... E levantou-se e foi" (At 8.26,27).

"E disse o Espírito a Filipe: Chega-te e ajunta-te a esse carro" (At 8.29,30).

O terceiro personagem? Deus! *Deus* enviou o anjo. O Espírito Santo instruiu Filipe; Deus conduziu toda a cena! Ele viu aquele bom homem vindo da Etiópia para adorar. Notou que estava confuso. Decidiu então resolver a situação.

Ele procurou um homem em Jerusalém para enviar. Encontrou Filipe.

Nossa típica reação, ao lermos esses versículos, é pensar em Filipe como uma pessoa especial. Ele tinha acesso ao Escritório Principal.

Não se precipite. Em uma carta a cristãos como nós, Paulo escreve: "Andai em espírito"(Gl 5.16).

"Todos os que são guiados pelo Espírito de Deus, esses são filhos de Deus" (Rm 8.14).

Ao ouvir muitos de nós, você poderia pensar que não cremos nesses versículos. Poderia achar que não cremos na Trindade. Falamos sobre o Pai e estudamos o Filho – mas quando se trata do Espírito Santo, ficamos mais confusos e temerosos. Confusos, pois nunca fomos ensinados. Temerosos, pois fomos instruídos a temer.

Posso simplificar um pouco mais? O Espírito Santo é a presença de Deus em nossas vidas, cuidando do trabalho de Jesus. O Espírito Santo nos ajuda em três aspectos – interno (concedendo-nos o fruto do Espírito, Gl 5.22-24), ascendente (intercedendo por nós, Rm 8.26) e externo (derramando o amor de Deus em nossos corações, Rm 5.5).

No evangelismo, o Espírito Santo é o personagem central. Se os discípulos ensinam, é porque o Espírito ensina aos discípulos (Lc 12.12). Se o ouvinte é convencido, o Espírito penetrou no seu coração (Jo 16.10). Caso o ouvinte seja convertido, é pelo poder transformador do Espírito (Rm 8.11). Se o novo crente amadurece, é porque o Espírito o faz mais ou menos competente (2 Co 3.6).

Você possui o mesmo Espírito trabalhando em sua vida, assim como Filipe. Alguns de vocês não acreditam em mim. Ainda têm reservas. Posso ouvi-lo resmungando enquanto lê: *Filipe possui algo mais. Nunca ouvi a voz de Deus.* Para estes, pergunto: *O que você acha que aconteceu com Filipe?*

Aceitamos que ele ouviu. Fomos ensinados assim. As figuras dos flanelógrafos o mostram. Um anjo coloca sua trombeta nos ouvidos de Filipe, faz o anúncio e Filipe não tem escolha. Luzes brilhantes e asas flutuando são difíceis de resistir. O diácono precisava ir. Mas, não poderia a nossa suposição estar errada? Poderia a voz dos anjos ser tão miraculosa quanto à que você e eu ouvimos?

Como?

Você já ouviu a voz sussurrando seu nome, não? Já sentiu o toque para prosseguir, e a urgência em falar? Isto já ocorreu em sua vida?

Você convida um casal para tomar um café. Nada heróico, apenas uma tarde agradável com velhos amigos. Mas, no momento em que entram, você pode sentir a pressão. Eles estão mais frios que uma geladeira. Percebe claramente que algo está errado. Logicamente você não vai perguntar, mas sente uma inquietação e não consegue manter o controle. Então pergunta.

Você se encontra em uma reunião de negócios onde um de seus parceiros está encrencado. Alguém está pensando: A*inda bem que não fui eu.* Mas, o Espírito Santo está fazendo você pensar: *Como deve ser difícil esta situação.* Então, após o encontro, você se aproxima do funcionário e expressa seu interesse.

Você nota o companheiro do outro lado da nave da igreja. Ele parece um pouco desambientado e com uma roupa um pouco estranha. Fica sabendo que ele veio da África e está na cidade a negócios. No domingo seguinte, ele retorna. E acontece novamente no terceiro domingo. Você se apresenta. Ele diz estar fascinado pela fé e como deseja aprender mais. Ao invés de oferecer-se para ensiná-lo, você simplesmente o aconselha a ler a Bíblia.

Com o passar da semana, arrepende-se de não ter sido mais direto. Você liga para o escritório onde ele está consultando e o informam que ele está de partida para casa hoje. Você está certo de que não pode deixá-lo partir. Corre, então, para o aeroporto e o encontra esperando o vôo, com uma Bíblia aberta no colo.

– Você compreende o que está lendo? – pergunta-lhe.

– Como posso, a menos que alguém me explique?

Então você, como Filipe, explica. E ele, como o etíope, crê. O batismo é requerido e oferecido. Ele pega um vôo mais tarde, e você pode vislumbrar o que significa ser guiado pelo Espírito Santo.

Havia luzes? Você acabou de acender uma. Havia vozes? Você acabou de ser uma. Houve um milagre? Você acabou de presenciá-lo. Quem sabe? Se a Bíblia fosse escrita hoje, o seu nome poderia constar no capítulo 8 de Atos.

CAPÍTULO CINCO

Conceitos

Um brinde às sentenças simples.

Uma saudação aos resumos.

Junte-se a mim para aplaudirmos a tecla "deletar" e a borracha. Que elas se banqueteiem nas aparas da escrivaninha do escritor.

Acredito na brevidade. Tire o excesso e mantenha o essencial. Dêem-nos palavras dignas de consideração e de fácil entendimento. Pensamentos que reluzam, não linhas prolongadas e enfadonhas. Mais períodos. Menos vírgulas.

Purifique-os.

Descasque-os.

Abrevie (mas não corte). Clareie (sem banalizar). Nítida (mas não detalhada). Esta é a boa escrita. A boa leitura. É um difícil trabalho!

Porém, apreciamos esta forma. Gostamos quando o cozinheiro tira a cartilagem antes de servir o churrasco. Parabenizamos o comunicador que faz o mesmo.

Oh, a brevidade! Uma arte aparentemente ignorada por muitos.

Aprendemos brevidade com Jesus. Seu maior sermão pode ser lido em oito minutos (Mt 5-7). Sua história mais popular pode ser lida em 19 segundos (Lc 15.11-32). Ele sumariou a oração em seis frases (Mt 6.9-13). Silenciou acusadores com apenas um desafio

(Jo 8.7). Resgatou uma alma com uma única sentença (Lc 23.43). Resumiu a Lei em três versículos (Mc 12.29-31). E reduziu todo o seu ensino a um só mandamento (Jo 15.12).

Ele estabeleceu sua posição e retirou-se.

Nós, pregadores, deveríamos imitá-lo. (Temos um velho ditado que diz: "Atualmente, nossos oradores não necessitam de introdução: deveriam, sim, utilizar a conclusão".)

Acreditamos na brevidade. Penso que você, leitor, confie a mim, o escritor, o seu bem mais valioso – o tempo. Eu não devo ultrapassar minha cota, por esta razão amo as sentenças curtas. É um jogo de caça. Esconder-se na selva da construção circular e no canyon de seis sílabas. Enquanto escrevo, caço. Ao encontrar, atiro. Então, percorro cansativamente por entre as árvores e fico maravilhado.

Nem todas as minhas presas andam pelos capítulos. Então, o que acontece a elas? Eu as salvo. Porém, não posso guardá-las para mim. Assim, posso convidá-lo à minha sala de troféus? O que segue são citações deste e de outros livros. Guarde os que mais gostar. Perdoe-me pelos que não lhe agradarem. Compartilhe-os quando puder. Mas ao fazê-lo, sintetize.

Ore todo o tempo. Caso necessite, utilize as palavras.

Sacrilégio é sentir-se culpado por pecados perdoados.

Deus esquece o que passou. Imite-o.

Sempre arrependo-me das ofensas, porém nunca da generosidade.

Nunca perca a chance de ler uma história para uma criança.

Persiga o perdão, não a inocência.

Seja duplamente gentil com a pessoa que traz seu alimento ou estaciona seu carro.

Ao comprar um presente para sua esposa, seja ele mais caro que extravagante.

Não peça a Deus que faça as suas vontades. Peça-lhe para fazer o que é certo.

Não foram os pregos que detiveram Jesus na cruz, e sim o amor.

Negue-se a si mesmo diante da vontade de Deus.

Reconheça quando uma oração for respondida, porém não desista se acontecer o contrário.

A lisonja é um capricho desonesto.

O coração correto com a fé errada é melhor que a fé correta no coração errado.

Tratamos as pessoas como achamos que Deus nos trata.

Às vezes, a melhor coisa a fazer é tirar o dia de folga.

A fé no futuro gera poder no presente.

Ninguém é inútil para Deus. Ninguém.

Se o conflito for inevitável, o combate será opcional.

Você nunca poderá perdoar alguém mais do que Jesus já perdoou.

Tenha sucesso no que interessa.

Você pode se arrepender caso abra a boca. Porém, raramente isto acontecerá se a manter fechada.

Ver o pecado sem a graça é desesperador. Ver a graça sem pecado é arrogância. Vê-los em série é conversão.

A fé e a coragem da alma colocam os desafios dentro dos sonhos.

Deus não segue o relógio.

Nunca subestime um gesto de afeição.

Quando Jesus foi para casa, Ele deixou a porta aberta e resumiu:

– Paguem seus débitos o mais depressa possível.

– Agradeçam o mais que puderem.

Ele está sempre dando-nos mais do que desejamos.

CAPÍTULO SEIS

Os Cartões de Natal de Deus

Estou monitorando minha caixa de correio.

Não costumo passar muito tempo olhando para ela, porém hoje estou fazendo isto. Não desejo que ela caia. Há apenas alguns dias, isto não era uma preocupação – antes da equipe de obras começar a limpar o terreno do outro lado da rua. Antes também de o motorista do caminhão de entulho esquecer de olhar pelo retrovisor.

Crás!

Hoje, nossa caixa de correio está novamente na posição vertical, escorada por estacas em três de seus lados. Nada bonito, porém funcional.

É estranho o que podemos pensar enquanto ficamos de olho num receptáculo postal. Enquanto observava, ocorreu-me que a caixa de correspondência tem muita semelhança com um ponto de ônibus – uma moldura para coisas boas e más, o desejado e o não desejado. Apenas por diversão, fiz uma lista de cartas as quais espero nunca receber. (Bem, o que mais *você* pensaria se estivesse olhando para uma caixa escorada?)

Eis o que escrevi até agora:

Papai,

Estou escrevendo para perguntar se há limite quanto ao número de carros em sua cobertura do seguro...

Querido Max,

Lembra-se do último verão em que você quebrou o vaso que tio Bill deixou para mim? Recorda-se quando eu disse que cem dólares seriam suficientes, mas você insistiu que eu o avaliasse? Bem, fico feliz por isto. Espero que esteja sentado, pois o avaliador do museu diz que ele vale...

Sr. Lucado,

O propósito desta carta é informá-lo que o filhote de cachorro puro-sangue destinado à Oakland, Califórnia, foi inadvertidamente enviado para Auckland, Nova Zelândia...

Querido Max,

Por que estou escrevendo após todos estes anos?

Bem, parece que a universidade cometeu um engano. Eles trocaram nossos transcritos. Não é terrível? E, durante todos esses anos, pensei que havia me formado por um triz. E, todos esses anos, você pensou que fosse uma sumidade!

Caro Sr. Lucado,

Recentemente, o senhor adquiriu de nossa empresa um kit domiciliar para diagnóstico de fertilidade. Estamos escrevendo para informar-lhe que houve um engano nas instruções e o senhor não é como pensava, e sim como pensava não ser...

(Gemidos)

Nunca li qualquer comentário científico sobre o assunto, mas parece que a correspondência supérflua é mais numerosa que a necessária. (Talvez você seja como eu: joga a maioria de suas cartas no lixo. Quem sabe fique perplexo, como eu, imaginando se há algo no mundo que não possua seu próprio catálogo. Caso seja canhoto, destro ou tenha gostos exóticos, provavelmente haverá um catálogo para você!)

A maioria das cartas são desnecessárias. Por que, então, eu estaria consertando minha caixa de correspondência?

Simples. Estamos em dezembro.

Este é o mês do ano em que ela mais necessita estar em seu

lugar. O carteiro poderia aguardar um pouco mais para entregar minhas contas. Mas não posso fazer isto. Não nesta época do ano. Não em dezembro, uma semana antes do Natal!

Este é o mês em que as correspondências são engraçadas. Esta é a semana dos envelopes vermelhos, selos verdes e adesivos de árvores de natal. É a semana das correspondências contando novidades ocorridas no ano, cartões de agradecimento de locais visitados e sugestões para outras férias.

Então, tanto para meu benefício quanto para o do carteiro, dei um jeito na caixa do correio.

Só uma pessoa muito desligada não gosta de cartões de natal.

Alguns são engraçados, outros, tocantes.

Poucos são inesquecíveis. Todos os anos leio este lembrete que chegou pelo correio há muitos anos:

> *Caso nossa maior necessidade fosse informação, Deus nos teria enviado um educador. Se nossa maior necessidade fosse a tecnologia, Deus teria nos enviado um cientista. Se nossa necessidade fosse dinheiro, Deus teria nos enviado um economista. Mas, uma vez que nossa maior necessidade era o perdão, Deus nos enviou o Salvador.*

Cartões de natal. Promessas relacionadas. Frases repletas de motivos pelos quais fazemos todas as coisas.

> *Ele fez-se como nós, para que pudéssemos nos tornar como Ele.*
>
> *Anjos ainda cantam, e estrelas ainda sinalizam.*
>
> *Ele ama cada um de nós como se houvesse apenas um de nós para amar.*

Mesmo muito tempo após o nome do remetente ter sido esquecido, a mensagem do cartão ainda resiste. Promessas. Uma mancheia de sementes e sílabas arremessadas sobre o solo fértil de dezembro, com esperanças de que venham a frutificar em julho.

Por esta razão, mantenho a caixa de correspondência de pé.

Meu coração pode usar todas as sementes que conseguir reter.

CAPÍTULO SETE

Por Trás da Cortina do Chuveiro

Acho que vou precisar instalar um computador em meu chuveiro. É onde tenho minhas melhores idéias.

Hoje ocorreu-me uma ótima.

Estava remoendo uma recente conversa com um irmão desapontado. Ele estava triste comigo. Tão triste que pensava em rescindir o convite para que eu falasse a seu grupo. Ele havia lido palavras que eu escrevera: "Se Deus chama uma pessoa de filho, por que não deveria eu chamá-lo meu irmão?" E: "Se Deus aceita os outros com seus erros e interpretações errôneas, por que não nós?"

Ele não gostou disso.

– Você está exagerando um pouco – argumentou. – Algumas reservas são necessárias.

Então, após ler alguns versículos, advertiu-me a ser cuidadoso com quem honro.

– Não é bem assim – assegurei-lhe. – Apenas enfatizei o que Deus já havia escrito.

Tendo a impressão de que aquilo não o satisfizera, ofereci-me para desfazer o compromisso (o que seria muito bom), porém, acalmando-se, pediu-me que fosse.

E é para lá que estou me dirigindo hoje. Por este motivo estou pensando sobre ele no chuveiro. E, esta é a explicação por que necessito de um computador à prova d'água: tive um pensamento excelente. Do tipo *por que não pensei isto na hora?*

Espero vê-lo hoje. Se o assunto voltar à tona, dir-lhe-ei. Caso contrário, escreverei neste capítulo. (É muito bom para ser desperdiçado.) Apenas uma sentença:

Nunca fiquei surpreso com o julgamento de Deus, mas ainda fico atordoado com sua graça.

O julgamento de Deus nunca foi um problema para mim. Na verdade, sempre me pareceu correto. Enxofre sobre Sodoma, fogo sobre Gomorra. *Bom trabalho, Senhor.* Egípcios afogados no mar Vermelho. *Receberam o que mereciam.* Quarenta anos de peregrinação para sarar o torcicolo dos Israelitas? *Eu teria feito o mesmo.* Ananias e Safira? *Muito bem.* Disciplina para mim é uma coisa de fácil absorção. Lógica para assemelhar. Viável e apropriado.

Mas... a graça de Deus? Tudo menos isto.

Exemplos? Quanto tempo mais você possui?

O salmista Davi torna-se Davi voyeur, mas a graça de Deus o transforma em salmista novamente.

Pedro negou a Cristo antes de anunciar sua palavra.

Zaqueu, o trapaceiro: a parte mais limpa de sua vida era o dinheiro que lavava. Porém, Jesus ainda tinha tempo para ele.

O ladrão na cruz: em um minuto, decidido e a um passo da morte; no outro, a caminho do céu e sorridente.

História após história. Oração após oração. Surpresa após surpresa.

Parece que Deus está buscando maneiras de nos deixar em casa, mais do que nos manter fora dela. Desafio você a descobrir uma alma que venha a Deus buscando sua graça e não a tenha encontrado. Encontre alguém que se aproxime dEle buscando uma segunda chance e tenha recebido uma repreensão. Desafio você. Procure.

Você não encontrará.

Achará uma ovelha perdida do outro lado do ribeiro. Ela está perdida, e sabe disto. Está atolada e com medo. O que diria a outra ovelha? O que diria o pastor?

Haverá um pastor que a encontre.

Oh! O que é isto? Surge repentinamente uma mão. Braços largos e abertos envolvendo e suspendendo a ovelha mais, mais, mais, até ser colocada sobre os ombros do pastor. Ela é novamente levada ao rebanho, e uma festa lhe é oferecida!

– Cortem a grama e penteiem os pêlos – ele anuncia. – Teremos uma celebração!

As outras ovelhas meneiam suas cabeças sem poder acreditar. Tal como faríamos. Em nossa festa. Ao chegar em casa. Ao ver os ombros do Pastor por entre nós, cada alma diferente da outra.

Parece-me que Deus dá muito mais graça do que poderíamos imaginar.

Podemos fazer o mesmo.

Não sou a favor da manipulação da verdade ou de comprometer o Evangelho. Mas, se um companheiro com o coração puro clamar a Deus *Pai,* não posso chamar a mesma pessoa de *irmão?* Se Deus não faz da perfeição doutrinária um requisito para ser membro de sua família, por que deveria eu fazê-lo?

E, se nunca concordamos, podemos concordar que discordamos? Se Deus pode tolerar erros, não posso tolerar os erros dos outros? Se Deus pode perdoar meus erros, não posso fazer o mesmo com o erro dos outros? Se Deus aceita que eu o chame *Pai*, mesmo com meus defeitos e fraquezas, por que não deveria eu estender esta graça aos outros?

Uma coisa é certa. Quando chegarmos ao Céu, ficaremos surpresos ao rever alguns amigos. E, alguns deles, ficarão surpresos quando nos virem.

CAPÍTULO OITO

As Perguntas de Gabriel

Gabriel deve ter colocado as mãos na cabeça com esta incumbência. Ele não era de questionar as missões dadas por Deus. Enviar fogo e dividir mares faziam parte dos trabalhos da eternidade para este anjo. Quando Deus mandava, Gabriel obedecia.

E, quando soube que Deus tornar-se-ia homem, Gabriel ficou entusiasmado, visualizando o momento.

O Messias em uma carruagem reluzente.

O Rei descendo em uma nuvem de fogo.

Uma explosão de luz da qual emergiria o Messias.

Era o que ele esperava. O que nunca imaginou foi receber um papel com o endereço do Nazareno. *Deus irá como um bebê,* ele leu. *Diga à mãe que coloque no menino o nome Jesus. E diga a ela que não tema.*

Gabriel jamais questionava, mas desta vez ficou atônito.

Deus se fará um bebê? Gabriel já tinha visto bebês.

Tudo bem para os humanos, pensou consigo. *Mas... para Deus?*

Os céus não podiam contê-lo, quanto mais um corpo! Para completar, você já viu como são os bebês? Nada muito adequado ao Criador do Universo. Bebês precisam ser cuidados e alimentados, embalados e banhados. Imaginar uma mãe colocando Deus para arrotar em seus ombros – por quê? – estava além da imaginação de qualquer anjo.

E quanto ao seu nome, *Jesus*? Parecia um nome comum. *Gabriel* causa mais impacto que *Jesus*. Ponha-lhe o nome de *Eminência*, *Majestade* ou *Enviado do Céu*. Qualquer coisa, menos Jesus!

Gabriel balançou a cabeça. O que aconteceu aos velhos e bons tempos? O caso de Sodoma e Gomorra. O dilúvio. Espadas flamejantes. Este era o tipo de ação da qual gostava.

Mas Gabriel recebera suas ordens. Levar a mensagem a Maria. *Deve ser uma moça especial*, pensava ele durante o trajeto. Mas Gabriel estava prestes a ter outro choque. Com um olhar, percebeu que Maria não era uma rainha. A futura mãe de Deus não pertencia à realeza. Ela era uma camponesa judia que iria simplesmente abandonar sua mocidade e apaixonar-se por um rapaz chamado José.

E, falando de José – quem é ele? Poderia ser um tecelão na Espanha ou um sapateiro na Grécia. É um carpinteiro. Observe-o: serragem em sua barba e pregos guardados no avental que envolve seu corpo. Deus irá jantar todas as noites com este homem?

A Fonte da sabedoria chamará este homem de "pai"? Um trabalhador comum será encarregado de alimentar a Deus?

E se ele for despedido?

E se ele ficar paralítico?

E se ele decidir fugir com uma bela jovem para o deserto? Então, onde estaremos nós?

Estas podem ter sido as considerações feitas por Gabriel. *Esta é uma idéia peculiar, Senhor*, provavelmente pensou consigo.

Será que os anjos de Deus fazem tantas meditações?

E nós? Estamos ainda atordoados pela vinda de Deus, ou confusos pelo acontecimento? O nascimento de Jesus gera ainda a mesma reação de perplexidade de dois mil anos atrás?

Há muito venho me fazendo esta pergunta. Ao escrever, o Natal passou há apenas alguns dias, e um fato causou-me preocupação: o ritmo dos feriados podem estar ofuscando o propósito destes.

Vi uma manjedoura em um shopping. Ou melhor, *apenas* vi a manjedoura no shopping. Vestir-me de Papai Noel. Sermões a preparar. Cultos a planejar. Presentes para comprar. A somatória de afazeres era tão alta que o presépio de Jesus era quase ignorado. Quase não o vi. Não fosse por uma criança e seu pai, isso teria acontecido.

Mas, com o canto dos olhos, os observei. O garotinho, talvez de três ou quatro anos, lindo, vestindo jeans e observando o bebê da manjedoura. O pai, com boné de beisebol e roupas de trabalho, olhando por sobre os ombros do filho, apontando primeiro para José, então Maria e por fim Jesus. Ele estava contando a história ao pequenino.

Oh, o olhar do garoto! A expressão de alegria em seus olhos. Ele não falou. Apenas ouviu. E eu não me movi, apenas fiquei assistindo. Que indagações inundavam a mente do garoto? Poderiam ter sido as mesmas de Gabriel? O que o maravilhara tanto? Fora a mágica?

E, qual o motivo para que entre centenas de filhos de Deus apenas dois parassem e notassem seu Filho? Que demônio de dezembro é este, que cega nossos olhos e também cerra nossas línguas? Não seria este o momento de parar e estudar as questões de Gabriel?

A tragédia não consiste em nossa incapacidade de respondê-las, e sim que estamos muito ocupados em formulá-las.

Só Deus sabe quanto tempo Gabriel flutuou invisivelmente sobre Maria antes de tomar fôlego e anunciar as boas novas. Mas o fez. Ele chamou-a pelo nome e contou-lhe o plano. Disse-lhe para que não temesse, e anunciou, mais para si próprio que para ela:

– Para Deus nada é impossível!

Embora não sendo capaz de responder às perguntas, ele sabia quem poderia fazê-lo, e isto bastava. E, mesmo que nós não possamos responder a todas, reservar um tempo para formular algumas seria um bom começo.

CAPÍTULO NOVE

Qual É o Seu Preço?

Ir a um programa de auditório não estava nos seus planos para estas férias, porém seus filhos insistiram, e você cedeu. Uma vez no local, está começando a gostar. A alegria é contagiante, música alta, cenário colorido. E as apostas são altas.

– Mais altas do que nunca! – anuncia o apresentador. – Bem-vindos ao programa *Qual é o seu preço?* Você está prestes a perguntar a sua esposa se o cabelo dele é natural, quando o valor é anunciado:

– Dez milhões de dólares!

O auditório não necessita de instruções. Explode com aplausos.

– É o jogo mais rico da história – gaba-se o apresentador. – Hoje alguém sairá daqui com um cheque de dez milhões de dólares!

– Não serei eu – você brinca com sua filha mais velha. – Nunca fui tão sortudo.

– Psiu! – ela cochicha, apontando para o palco. – Eles estão quase sorteando o nome.

Adivinhem quem foi o escolhido! No momento em que anunciam seu nome, você passa de expectador a jogador. Seus filhos gritam, sua esposa fica pasmada e milhares de olhos assistem uma bela moça pegar em sua mão e levá-lo ao palco.

– Abram as cortinas! – ordena o apresentador. Ao virar-se, você vê as cortinas se separarem e fica ofegante com a visão. Um carrinho de mão vermelho vivo cheio de dinheiro – transbordando dinheiro! A mesma moça que o conduziu ao palco agora leva o carrinho em sua direção, estacionando-o à sua frente.

– Já tinha visto dez milhões de dólares? – pergunta o apresentador sorridente.

– Até agora não – você responde.

A platéia ri como se você fosse um comediante.

– Toque nele – o apresentador convida. – Vá em frente!

Você olha para sua família. Um filho está babando, o outro orando e sua esposa está com os dois polegares levantados. Como recusar? Coloca suas mãos, vasculha um pouco e as tira, agarrando um maço de notas somando um milhão de dólares.

– Tudo isto pode ser seu. A escolha é sua. A única pergunta que precisa responder é: *Qual é o seu preço?*

Novamente aplausos, a banda toca e você está nervoso. Por trás da segunda cortina que se abre, revela-se um grande placar com a pergunta: *O que você estaria disposto a fazer?* O apresentador explica as regras:

– Tudo que você precisa fazer é aceitar uma destas condições, e receberá o dinheiro.

– Dez milhões de dólares! – você balbucia para si mesmo.

Não um ou dois milhões, mas *dez* milhões! Nada mau. Dez milhões viriam a calhar, certo? Estudos pagos. Aposentadoria garantida. Abriria as portas de alguns carros, compraria uma ou várias casas.

Você poderia quase ser um benfeitor com tal soma. Ajudar orfanatos. Alimentar algumas nações. Construir igrejas. De repente você compreende:

– Esta é a oportunidade da minha vida.

– Escolha uma das opções, e o dinheiro será seu.

Uma voz penetrante, vinda de outro microfone, começa a ler a lista.

Ei-la:

Dar seus filhos para adoção.

Prostituir-se durante uma semana.

Desistir da cidadania americana.

Abandonar sua igreja.

Abandonar sua família.

Matar um estranho.

Fazer uma mudança de sexo.

Abandonar sua esposa.

Mudar sua raça.

– Esta é a lista – proclama o apresentador. – Faça agora sua opção.

A música recomeça, o auditório está em silêncio e sua pulsação dispara. Você precisa fazer uma escolha. Ninguém pode ajudá-lo. Você está no palco. A decisão é sua. Ninguém pode dizer a você o que escolher.

Mas há uma coisa que eu posso dizer. Posso falar o que os outros fariam. Seus vizinhos têm dado suas respostas. Uma pesquisa nacional na América fez as mesmas perguntas, e muitos disseram o que fariam. Sete por cento mataria pelo dinheiro. Seis por cento mudaria sua raça. Quatro por cento mudaria de sexo.

Se o dinheiro é a medida do seu coração, então este estudo revela que o dinheiro está na maioria dos corações americanos. Em troca de dez milhões de dólares:

25% abandonariam suas famílias;

25% abandonariam sua igreja;

25% se prostituiriam durante uma semana;

16% desistiriam da cidadania americana;

16% deixariam seu cônjuge;

3% entregariam seus filhos para adoção.

Ainda mais revelador que as escolhas dos americanos é o fato de que a maior parte deles faria *alguma coisa* por dez milhões de dólares... Dois terços dos entrevistados concordariam com pelo menos uma dentre as várias opções. A grande maioria, em outras palavras, não sairia do programa de mãos vazias. Pagaria o preço para tomar posse do carrinho de mão.

O que você faria? Ou melhor, o que tem feito?

– Caia na real, Max – você pode estar dizendo. – Eu nunca cheguei perto de dez milhões.

Talvez não, mas já teve a chance de ganhar algumas dezenas, centenas ou milhares. A soma pode não ser a mesma, porém as opções sim, o que torna a questão ainda mais perturbadora. Alguns estão dispostos a desistir da família, da fé ou dos princípios morais por muito menos que dez milhões de dólares.

Jesus tinha uma palavra para isso: *ganância.*

Jesus também tinha um conceito de ganância. Ele a chamou "prática de avaliar uma vida pelas suas posses".

A ganância equipara o valor da pessoa de acordo com suas possessões.

1. Você possui muito = você vale muito

2. Você possui pouco = você vale pouco

A conseqüência de tal filosofia é previsível. Se você vale o que possui, é dono de si mesmo. Nenhum preço é tão alto. Nenhum pagamento é suficiente.

Agora, poucos se sentiriam culpados por tamanha ganância. Jesus sabia disso. Por este motivo, Ele advertiu contra todo tipo de avareza (Lc 12.15). A avareza possui muitas faces.

Quando morei no Brasil, na cidade do Rio de Janeiro, fui visitar um membro de nossa igreja. Ele havia sido um forte líder em nossa congregação. Porém, havia vários domingos não o víamos, nem tínhamos notícias dele.

Alguns amigos contaram que ele herdara uma soma em dinheiro e estava construindo sua casa. Encontrei-o no lugar da construção. Ele havia ganho trezentos dólares. Com o dinheiro, adquiriu um minúsculo lote adjacente a um pântano poluído. O pedaço de terra era do tamanho de uma garagem. Ali estava ele, construindo com as próprias mãos a casa de um cômodo. Mostrou-me o projeto – o que demorou mais ou menos vinte segundos.

Sentamos em frente à propriedade e conversamos. Disse-lhe que sentíamos sua falta, que a igreja precisava dele. Então, após alguns segundos de silêncio ele percorreu com o olhar a sua casa, olhou novamente para mim e disse com os olhos mareados:

– Você tem razão, Max. Acho que fiquei um pouco ganancioso.

Ganancioso? quis protestar. *Você está construindo um barraco em um pântano e chama isto de ganância?*

Porém calei, reconhecendo que ele tinha razão. A ganância é relativa. Não é definida pelo valor das coisas, e sim pelo que ela custa a você.

Se alguma coisa custa sua fé ou sua família, o preço é muito alto.

Esse é o ponto que Jesus destaca na parábola do rico insensato. Certo homem havia produzido com abundância e teve muito lucro. Estava com excesso de caixa e uma dúvida cruel:

– O que farei com meu ganho?

Não demorou muito para que se decidisse. Ele os guardaria. Acharia um meio de guardá-lo que lhe permitisse viver uma boa vida. Seus planos? Acumular. Seus objetivos? Vinho, jantares, sol e descanso. Mudar-se para um local melhor, viver bem e relaxar.

Repentinamente o homem morre, e outra voz é ouvida. A voz de Deus. E não era nada agradável o que tinha para dizer ao homem. Sua primeira palavra foi: "Louco!"

Era um homem respeitado. Foi honrado com um belo funeral e caixão de mogno. Pessoas importantes enchiam o auditório com admiração pelo hábil homem de negócios. No primeiro banco, porém, estava a família pronta a repartir o patrimônio do papai.

"Louco!" diz Deus. "Esta noite te pedirão a tua alma, e o que tens preparado para quem será?" (Lc 12.20).

O homem passou sua vida construindo uma casa maravilhosa. Nunca passou por tempestades. Agora, o vento soprara.

A tempestade não foi a única coisa que ele nunca presenciara.

Ele nunca tinha visto Deus. Note suas primeiras palavras após ganhar o dinheiro: "O que farei?" (v.17). Ele foi ao lugar errado e fez a pergunta errada. E, se ele tivesse perguntado a Deus:

– O que o Senhor deseja que eu faça?

O pecado do homem não era o seu plano para o futuro. Seu pecado foi não incluir Deus em seu futuro.

Imagine alguém tratar você assim. Digamos que você contrate uma pessoa para tomar conta de sua casa durante um fim de semana. Deixa-lhe as chaves, dinheiro, instruções, e sai para aproveitar a viagem.

Ao retornar, descobre que sua casa foi pintada de púrpura. As fechaduras foram trocadas, então você toca a campainha e a pessoa atende. Antes que possa dizer algo, ela o escolta e proclama:

– Veja como decorei minha casa!

A lareira foi transformada em cachoeira. O carpete foi trocado por azulejos cor-de-rosa e retratos de Elvis em veludo preto enfeitam as paredes.

– Esta não é sua casa – você protesta. – Ela é minha!

– Estas coisas não são suas – Deus nos lembra. – São minhas.

"Eis que os céus e os céus dos céus são do Senhor, teu Deus, a terra e tudo o que nela há" (Dt 10.14).

A primeira regra divina quanto ao dinheiro é: não temos nada. Somos administradores, não proprietários. Despenseiros, não os senhores da terra. Mantenedores, não possuidores. Nosso dinheiro não é nosso; é dEle.

Aquele homem, de qualquer forma, não deu atenção a esse fato. Por favor, note que Jesus não criticou a riqueza do homem, mas a sua arrogância. As palavras do homem rico testificavam sua prioridade.

Isto é o que farei:

Derribarei...

Edificarei...

E direi à minha alma: "Tens em depósito muitos bens" (Lc 12.18,19).

Certa vez, um estudante foi escolhido para definir as partes de um discurso: *eu* e *meu.* A resposta: "pronomes agressivos". O homem rico era agressivamente egocêntrico. Seu mundo estava cercado por ele mesmo. Ele não viu Deus. Ele não viu os outros. Apenas a si mesmo.

"Louco, esta noite te pedirão a tua alma" (v. 20).

Não é estranho que esse homem tivesse capacidade suficiente para adquirir riquezas, mas não o senso de preparar-se para a eternidade? Mais estranho ainda é que cometemos o mesmo engano. Quero dizer, não é que Deus mantenha o futuro em segredo. Uma simples olhada no cemitério deveria lembrar-nos que todos morrerão. Uma visita a um funeral deveria convencer-nos de que não levaremos nada conosco.

Homens mortos não empurram carrinhos de mão contendo dez milhões de dólares.

O programa de auditório era uma suposição, mas os fatos são reais. Você está em um palco. Foi-lhe dado um preço. As apostas são altas. Muito altas.

Qual é o seu preço?

CAPÍTULO DEZ

Mantimentos e Graça

Esta história chegou a mim por um amigo que ouviu de outro amigo, que ouviu sabe-se lá de quem.

Há chances de que ela tenha sofrido alterações com o passar do tempo. Porém, se houver apenas uma pequena porção de verdade no que ouvi, vale a pena recontá-la.

Certo homem fazia compras no armazém de abastecimento para militares e suas famílias em uma base militar. Não precisava de muita coisa, apenas um pouco de café e alguns pães. Ele estava na fila para pagar e atrás dele havia uma senhora com o carrinho cheio. Sua cesta transbordava com mantimentos, roupas e um videocassete.

Ao chegar a sua vez, aproximou-se do caixa. O balconista pediu-lhe que tirasse um pedaço de papel de um aquário.

– Se você pegar o cartão premiado, todas as suas compras sairão grátis – explica o rapaz.

– Quantos cartões premiados existem aí dentro? – pergunta o cliente.

– Apenas um.

O vidro está cheio, por isto as chances são mínimas, mas o comprador tenta assim mesmo e – você não vai acreditar – ele é premiado! Que surpresa! Mas então percebe que está comprando apenas café e pão. Seria um desperdício.

Porém, ele é rápido. Vira-se para a senhora atrás dele – aquela com o carrinho cheio – e propõe:

– Bem, o que você acha, querida? Vencemos! Não precisaremos pagar nenhum centavo.

Ela fica atônita. Ele piscou para ela. Ela, então, se aproximou e colocou-se ao lado do rapaz. Deram-se os braços e sorriram. E, por um momento ficaram lado a lado, casados pela boa fortuna. No estacionamento, ela consumou a união temporária com um beijo e um abraço e foi embora com uma grande história para contar aos amigos.

Eu sei, eu sei. O que fizeram foi um pouco suspeito. Ele não deveria ter mentido, e ela não deveria ter fingido. Mas, não levando isto em conta, é uma boa história.

Uma história não tão distante de você mesmo. Nós, também, temos sido agraciados com uma surpresa. Muito mais do que aquela senhora. Embora seu débito fosse alto, ela poderia pagá-lo. Nós não podemos sequer começar a pagar o nosso.

Nós, assim como a mulher, temos sido presenteados. Não exatamente como na fila do caixa, mas diante do trono do julgamento.

E nós, também, tornamo-nos a Noiva. Não apenas por um momento, mas por toda a eternidade. E não apenas para alimentos, como também para abstinência, jejum.

Não é uma grande história para contar aos nossos amigos?

CAPÍTULO ONZE

A Escolha

Tudo está em silêncio. Ainda é muito cedo. Meu café está quente. O céu está escuro. O mundo ainda dorme. O dia está para chegar.

Em alguns momentos, ele surgirá. Despontará com o nascer do Sol. A calma da alvorada será trocada pelo barulho do dia. A tranqüilidade do isolamento será substituída pelos passos pesados da raça humana. O refúgio da madrugada será invadido pelas decisões a serem tomadas e prazos a serem cumpridos.

Durante as próximas 12 horas ficarei à mercê das demandas diárias. Este é o momento em que preciso fazer escolhas. Por causa do Calvário, estou livre para escolher.

Escolho o amor...

Nenhum fato justifica o ódio; não há injustiça que justifique amargura. Escolho o amor. Hoje amarei a Deus e o que Ele ama.

Escolho a alegria...

Convidarei o meu Deus para que seja o Deus da circunstância. Recusarei a tentação de ser cínico... a ferramenta do pensador preguiçoso. Recusar-me-ei a ver as pessoas como nada menos que seres humanos, criados por Deus. Recusar-me-ei a ver qualquer problema como nada menos que uma oportunidade de ver Deus.

Escolho a paz...

Viverei o perdão. Perdoarei para que possa viver.

Escolho a paciência...

Negligenciarei as inconveniências do mundo.

Ao invés de amaldiçoar aquele que tenta tomar o meu lugar, convidá-lo-ei a fazer isto. Não reclamarei a longa espera, mas agradecerei a Deus pelo momento de oração. Ao invés de cerrar meus punhos face a novas designações, enfrentá-las-ei com alegria e coragem.

Escolho a generosidade...

Serei generoso para com os pobres, por estarem solitários. Generoso para com os ricos, por estarem temerosos. E generoso para com o mau, pois é assim que Deus tem tratado a mim.

Escolho a virtude...

Prefiro ficar sem um tostão a ganhar algum desonestamente. Serei negligenciado para não ser jactante. Confessarei antes que seja acusado. Prefiro a virtude.

Escolho a fidelidade...

Hoje cumprirei minhas promessas. Meus devedores não lastimarão sua confiança. Meus associados não questionarão minha palavra. Minha esposa não questionará meu amor. E meus filhos nunca temerão que seu pai possa não retornar ao lar.

Escolho a mansidão...

Nada pode ser vencido à força. Escolho a mansidão. Se levantar a minha voz, que ela possa ser apenas em louvor. Caso cerre meus punhos, que seja em oração. Caso dê uma ordem, que seja apenas para mim mesmo.

Escolho o autocontrole...

Sou um ser espiritual. Após a morte deste corpo, meu espírito subirá. Recuso-me a permitir que a podridão domine o que é eterno. Escolho o autocontrole. Ficarei embriagado apenas pela alegria. Comovido apenas pela minha fé. Serei influenciado apenas por Deus. Serei ensinado apenas por Cristo. Escolho o autocontrole.

Amor, alegria, paz, paciência, generosidade, virtude, fidelidade, mansidão, autocontrole. A estes submeto meu dia. Caso seja bem-sucedido, louvarei a Deus. Se falhar, buscarei sua graça. E então, ao anoitecer, colocarei minha cabeça sobre o travesseiro e descansarei.

CAPÍTULO DOZE

O Profeta

Ansiava um café da manhã. Consegui um profeta.

Parei em frente à padaria no caminho do escritório esta manhã. Precisava cumprir uma missão e, enquanto passava ali, resolvi desincumbir-me de outra. Fui até a padaria tomar o café da manhã. Por um preço baixo, você pode comer o quanto desejar. Meu peso e o médico proíbem-me de fazer isto todos os dias, mas, já que estava lá e ainda não havia tomado café...

O profeta teve a mesma idéia. Não um profeta *da* Bíblia, mas um profeta *com* uma Bíblia. Uma Bíblia azul, grande, cheia de páginas com orelhas. Ele era pequeno e magro, um cavalheiro educado, com o cabelo rente e despenteado e a barba vermelha e espessa. Quando ali cheguei, fazia o seu pedido. Da maneira mais *meticulosa*...

– Vocês servem taco sem carne?

– Sim.

– Apenas batatas e ovos?

– Sim.

– Já vem com sal?

– Não.

– Quantas batatas?

A balconista do balcão levantou a frigideira para que ele pudesse ver.

– E quantos tacos?

Talvez sua intenção fosse certificar-se de que valeria a pena gastar seu dinheiro ali. Talvez ele estivesse fazendo uma dieta rigorosa. Ou talvez fosse apenas exigente. Não poderia dizer, mas observei que era educado, extremamente educado.

Ele carregava um ancinho. (Uma versão moderna de garfo joeireiro talvez?) Seu roupão era azul, e por baixo dele havia uma camisa que parecia mais uma toalha enrugada.

Enquanto a moça preparava a comida do profeta, um outro balconista apareceu. Ele pensou que o profeta ainda não fora atendido e perguntou se precisava de ajuda.

– Não, já fui atendido. Mas, já que me fez uma pergunta, posso perguntar-lhe se é crente em Jesus Cristo? Sou um profeta dEle e fui enviado até você.

O balconista não sabia o que dizer. Olhou para a colega de trabalho, que olhou por sobre os ombros e os encolheu. Ele olhou para mim, depois para fora. Então, voltou os olhos para o profeta e disse algo como:

– Obrigado por ter vindo – e perguntou o que eu desejava.

Fiz o meu pedido, e, enquanto esperava, os tacos do profeta ficaram prontos. Ele pediu um refrigerante – sem pedras de gelo – e água – em copo descartável. Ele estava surpreso com a cor do seu refrigerante.

– Pensei que seria laranja.

– Não, é claro – respondeu a balconista.

Estava quase esperando que ele tentasse um milagre – trocando a cor para laranja. Isto não aconteceu, porém ele simplesmente interpretou o momento.

– Nesta vida, a cor do seu refrigerante não faz diferença, faz?

Sorriu para a moça, para o homem e então para mim.

Todos sorrimos de volta.

Uma vez que ele tinha a Bíblia em uma das mãos e o ancinho na outra, fiquei imaginando como carregaria a comida. Então ofereci-me para ajudar. E ele recusou.

– Obrigado em nome de Jesus por oferecer ajuda, mas posso fazê-lo.

Ele colocou o prato em cima do copo de refrigerante e de alguma forma segurou a água com a mesma mão do ancinho, e não esqueçamos da Bíblia. Durante o processo quase perdeu tudo, então novamente ofereci-me para ajudá-lo.

– Não, mas em nome de Jesus eu o abençôo por oferecer-me ajuda.

– E – virou-se para a balconista – abençôo você em nome de Jesus Cristo pela sua gentileza.

– E – olhou para o balconista – abençôo você em nome de Jesus Cristo.

Não disse o motivo. Uma bênção genérica, presumi.

Tendo abençoado a nós todos, virou-se para sentar. Pelo que sei, ele fez o mesmo com a mesa.

Observei os olhos da balconista enquanto ela segurava o meu café da manhã. Sem saber absolutamente nada sobre ela, imaginei o que estava pensando. Imaginei que impressão seu encontro com o profeta havia causado sobre aquEle que o profeta representava.

Quis dizer algo, mas não sabia o quê. Comecei a falar:

– Eu e o profeta ali estamos no mesmo time, apenas temos aproximações diferentes. Ser um cristão não significa realmente carregar um ancinho.

Mas, antes que eu pudesse pensar no que dizer, ela virou-se para atender outra pessoa. Então resolvi sair.

Foi quando trombei com Lawrence. Ele é um irmão da igreja. Trombar com Lawrence não é um fato qualquer. Ele é um ex-jogador de futebol. Tudo nele é grande e tudo sobre ele é do gênero. O efeito de um forte abraço de Lawrence pode durar uma semana.

E foi um desses que ele me deu... um bom abraço, um caloroso aperto de mãos e uma genuína indagação sobre meu bem-estar. Não muito, apenas alguns minutos de considerações gentis. Então, ele seguiu seu caminho e eu o meu.

Enquanto me afastava, fiquei intrigado pelo contraste destes dois encontros. Ambos, o profeta e Lawrence, são servos de Cristo. Ambos não se envergonham de sua fé, amam carregar a Bíblia e abençoar as pessoas. Porém, aí terminam as similaridades.

Um veste sandálias e macacão, o outro, tênis e jeans.

Um se veste como Jesus, mas o outro age como Jesus.

Um apresenta-se como embaixador de Cristo, o outro não precisa fazê-lo.

Um ativou minha curiosidade, porém o outro tocou meu coração.

E algo me disse que, se Jesus estivesse ali em pessoa e eu o encontrasse em uma padaria, não o reconheceria por causa de seu ancinho, o macacão e a grande Bíblia. Mas o faria pelo seu bom coração e as palavras gentis.

Segunda Parte

O Toque do Mestre

Em seus últimos anos de vida, Beethoven passava horas tocando um cravo quebrado. O instrumento estava inutilizado. Faltavam teclas, algumas cordas desafinadas, ofendia os ouvidos.

Contudo, o grande pianista tocava até que as lágrimas corressem por sua face. Se pudesse vê-lo, pensaria que ele estava ouvindo algo sublime. E estava. Pois ficara surdo. Beethoven ouvia o som que o instrumento deveria emitir, não o que ele realmente transmitia.

Você já se sentiu como o cravo de Beethoven? Fora de tom? Inadequado? Seu culto fora de propósito, insignificante?

Já pensou alguma vez no que Deus faz quando o instrumento está quebrado? O que acontece com a música quando as cordas estão desafinadas? Como age o Mestre quando as teclas não funcionam?

Ele dá as costas e vai embora? Manda substituí-las? Conserta as velhas? Ou pacientemente afina-as até que ouça a canção desejada?

Caso já tenha feito essas perguntas (e quem não as fez?), tenho algumas opiniões sobre o assunto. Reuni alguns testemunhos curiosos, e pensei que você gostaria de conhecê-los. Nas páginas a seguir, você encontrará:

- *uma explicação ao fato de o Mágico de Oz não constar na Bíblia*
- *o conto da Lua triste*
- *uma primitiva entrevista a um jornal, com Moisés e Josafá*

- *a mensagem de um grilo e a dieta comum da comida pré-mastigada*

Alguns capítulos são engraçados, outros sérios. Alguns fictícios. Outros reais. Todavia todos contêm respostas àqueles que se sentem como o cravo de Beethoven. Todos contribuem para encorajar o instrumento cansado. E, sem distinção, esperam mostrar a você como o Mestre da música conserta o que não podemos e ouve a música quando não a tocamos.

CAPÍTULO TREZE

Quando os Grilos o Deixam Irritado

Perdoe-me se este capítulo é desconjuntado. Enquanto escrevo, estou nervoso. Irritado por um grilo. Ele é escandaloso, desagradável, misterioso. E estará em grandes problemas, caso eu o encontre.

Cheguei cedo em meu escritório. Duas horas antes de o meu despertador soar, eu já estava aqui. Mangas arregaçadas e computador ligado. *Enganar o telefone*, pensei. *Esticar a manhã e o dia*, planejei.

Porém, o que consegui foi apenas planejar a captura daquele grilo.

Vejam, não tenho nada contra a natureza. Amo a melodia entoada por um canário. Aprecio o agradável som do vento batendo nas plantas. Mas o *raque-raque* do grilo de manhã bem cedinho me irrita.

Então ajoelhei-me e persegui o som pelo escritório. Olhei embaixo das caixas. Tirei os livros das prateleiras. Deitei de barriga para olhar debaixo da escrivaninha. Humilhação. Estou sendo sabotado por um grilo de três centímetros.

Onde está este insolente e irritante que reduz um homem a caçador de grilos?

Finalmente, isolei o culpado.

Oh, ele está atrás da estante. Fora do meu alcance, refugiado na madeira. Não posso alcançá-lo. Tudo que posso fazer é atirar canetas na base da estante. Então comecei. *Pop, pop, pop,* uma após a outra. Uma barreira de Bics. Ele finalmente calou. Porém, o silêncio durou apenas um minuto. Portanto, perdoe-me se meus pensamentos estão um pouco fragmentados, mas estou iniciando um outro parágrafo. Não é assim que se trabalha. Esta não é uma boa maneira de começar o dia. Meu chão está uma desordem, minhas calças, sujas, minha linha de pensamento, descarrilhada. Quero dizer, como escrever com raiva de um estúpido grilo instalado em seu escritório?

Ooops! Descobri que estou na linha de pensamento correta...

Raiva. Nesta manhã é fácil defini-la: o barulho da alma. *Raiva.* A irritação invisível do coração. *Raiva.* O inexorável invasor do silêncio.

Assim como o grilo, a raiva irrita.

Assim como o grilo, a raiva não pode ser facilmente silenciada,

Assim como o grilo, a raiva pode aumentar em volume até tornar-se o último som que ouvimos. Quanto mais alto o som, mais desesperados ficamos.

Ao sermos maltratados, nossa resposta animalesca é ir à caça. Instintivamente, unimos nossas mãos. Acertar as contas é apenas natural. O que, por acaso, é precisamente o problema. A vingança é natural, não espiritual. Acertar as contas é a regra da selva. Favorecer é a regra do Reino de Deus.

Alguns de vocês podem estar pensando: *Fácil falar, Max, sentado aí em seu escritório, tendo um grilo como oponente. Você deveria tentar viver com minha esposa.* Ou: *Você deveria enfrentar meu passado.* Ou: *Você deveria educar meus filhos. Não tem idéia como minha ex tem me tratado. Você não tem idéia de quão dura tem sido a minha vida.*

Você está certo, eu não. Porém, tenho uma clara idéia de quão miserável será o seu futuro, a menos que você lide com sua raiva.

Tire um raio X da alma do homem vingativo e veja o tumor da amargura: preto, ameaçador, maligno. Carcinoma do espírito. Suas fibras fatais envolvem os elos do coração e o devastam. Você não pode modificar o passado, e sim sua atitude com relação a ele.

Impossível, você acha? Deixe-me mostrar-lhe de outra maneira.

Imagine que você pertença a uma grande família – 12 ou mais filhos. A família mais misturada possível. Todos os filhos pertencem ao mesmo pai, porém há quatro ou cinco mães diferentes.

Imagine também que seu pai é um covarde e assim tem agido por muito tempo. Todos sabem disto. Sabem que ele trapaceou um tio em outro Estado. Sabem também que ele fugiu como um covarde para não ser pego.

Imaginemos que seu grande tio obrigou seu pai a casar com a irmã de sua mãe. Ele o embebedou antes da cerimônia e mandou a filha feia para o altar, ao invés da bela jovem com quem pensava estar casando.

Entretanto, o fato não abatera seu pai. Ele simplesmente casou-se com ambas. A que ele amava não podia ter filhos, então dormiu com sua criada. De fato, ele tinha o hábito de dormir com a maioria das empregadas. Como resultado, a maioria de seus irmãos pareciam com as cozinheiras.

Finalmente, a esposa com quem seu pai realmente desejara casar ficou grávida... e você nasceu.

É o filho predileto... e seus irmãos sabem disto.

Você ganha um carro. Eles não. Você ganha perfumes importados, eles ganham os nacionais. Você ganha férias no campo. Eles passam as férias trabalhando. Você ganha educação, e eles acumulam raiva.

Então fazem sua vingança. Enviam você para um projeto de serviço estrangeiro, colocam-no em um avião para o Egito, e dizem a seu pai que levou um tiro de um caçador. Você encontra-se cercado por pessoas desconhecidas, aprendendo uma linguagem que não compreende e vivendo uma cultura nunca vista.

Fábula? Não, é a história de José. Filho predileto de uma família bizarra, tinha todas as razões para ficar nervoso.

Tentou fazer o melhor que pôde. Tornou-se administrador da casa do chefão do serviço secreto. A esposa do chefe tentou seduzi-lo, e ele recusou. Então, ela acabou por colocá-lo na prisão. Faraó ficou sabendo que José podia interpretar sonhos e deixou que ele tentasse fazê-lo com um dos seus.

Quando José os interpretou, foi então promovido da prisão para o palácio como Primeiro Ministro. O segundo posto mais importante do Egito. A única pessoa a quem José se curvava era Faraó.

Nesse ínterim, a fome chegou, e Jacó, pai de José, enviou seus filhos ao Egito para obterem um empréstimo estrangeiro. Os irmãos, sem saber, ficam diante do mesmo irmão que venderam aos ciganos há pouco mais de duas décadas.

Eles não reconhecem José, mas José os reconhece. Um tanto carecas e barrigudos, porém os mesmos irmãos. Imagine os pensamentos de José. A última vez em que vira suas faces, estava olhando para eles do fundo de um poço. A última vez que ouvira suas vozes, estavam rindo dele.

Este era o momento da vingança. Ele possuía total controle. Com um estalo de dedos seus irmãos estariam mortos. Mais ainda, poderia algemar seus pés e mãos e deixá-los provar um pouco do calabouço egípcio. Deixe-os dormir na lama. Deixe que esfreguem o chão, que aprendam a língua egípcia.

Vingança faz parte do poder de José. E há poder na vingança. Poder intoxicador.

Será que já não o provamos? Já não fomos tentados a nos vingar?

Ao escoltar o ofensor até o tribunal, anunciamos:

– Ele me ofendeu!

Os jurados meneiam suas cabeças com desagrado.

– Ele me abandonou! – explicamos. E a câmara ecoa com nossa acusação.

– Culpado!

O juiz sentencia, batendo o martelo.

– Culpado! – concorda o júri.

– Culpado! – proclama o auditório.

Deliciamo-nos com esse momento de justiça. Saboreamos essa porção de carne. Então prolongamos o fato. Contamos a história várias e várias vezes.

Emolduremos a cena. Tenho uma pergunta. Não a todos vocês, mas para poucos. Alguns de vocês estão no tribunal. O tribunal de acusação. Alguns estão reapresentando a mesma ferida em cada oportunidade e a qualquer pessoa que os ouçam.

Para você, faço a pergunta: Quem fez de você Deus? Não quero dizer ser convencido, mas fazer o trabalho que pertence a Ele?

"Minha é a vingança, eu darei a recompensa, diz o Senhor" (Hb 10.30).

"Não digas: Vingar-me-ei do mal; espera pelo Senhor, e ele te livrará"(Pv 20.22).

Julgamento é trabalho para Deus. Pensar de maneira diferente é declarar que Deus não é capaz de fazê-lo.

A vingança é irreverente. Assim, nos pegamos dizendo:

– Sei que a vingança pertence a ti. Apenas pensei que o Senhor não havia punido o suficiente. Achei melhor tomar a frente da situação. O Senhor tem a tendência de ser um pouco suave.

José compreende. Ao invés de dar o troco, revela sua identidade e traz o pai e toda a sua família para o Egito. Ele lhes garante segurança e providencia um local para morarem. Vivem em harmonia durante 17 anos.

Então Jacó morre, e chega o momento da verdade. Os irmãos pensam que, com a morte do pai, seriam expulsos do Egito. Então foram a José e pediram misericórdia.

"Teu pai mandou, antes da sua morte, dizendo: Assim direis a José: Perdoa, rogo-te, a transgressão de teus irmãos e o seu pecado, porque te fizeram mal; agora, pois, rogamos que perdoes a transgressão dos servos do Deus de teu pai" (Gn 50.16,17). (Tenho que sorrir quando penso em homens crescidos falando desta forma. Não parecem crianças, pedindo: "Papai disse para você ser bonzinho conosco"?)

A resposta de José? "E José chorou quando eles lhe falavam" (Gn 50.17). *O que mais preciso fazer?* significavam suas lágrimas. *Dei-lhes casa, providenciei tudo para suas famílias. Por que ainda duvidam da minha graça?*

Por favor, leia cuidadosamente as duas afirmações que ele faz a seus irmãos. "Porventura estou eu em lugar de Deus?" (v. 19).

Posso ressaltar o óbvio? A vingança pertence a Deus! Sendo assim, ela não é nossa. Deus não nos pediu para fazer este serviço. Nunca.

Por quê? A resposta pode ser encontrada na segunda parte da afirmação de José: "Vós bem intentastes mal contra mim, porém Deus o tornou em bem, para fazer como se vê neste dia, para conservar em vida a um povo grande".

O perdão acontece de maneira mais fácil quando olhamos sob o ângulo certo.

José utiliza-o para descrever toda a situação. Ele recusa-se a concentrar-se na traição de seus irmãos sem contar com a lealdade do seu Deus.

Isto sempre ajuda a ver a situação por completo.

Há alguns anos, eu estava no saguão de um aeroporto quando avistei um amigo. Havia algum tempo que não o encontrava, e constantemente pensava sobre sua vida. Ele estava se divorciando, e eu conhecia a situação o suficiente para saber que parte da culpa era sua.

Notei que ele não estava sozinho. Na verdade, havia uma mulher. *Por quê? Que absurdo! Apenas alguns meses, e ei-lo com outra senhora?*

Qualquer vontade de cumprimentá-lo desaparecera ao julgar seu caráter. Mas ele, ao me ver, acenou para mim. Fez um sinal. Eu fora apanhado. Estava encurralado. Teria que cumprimentá-lo, porém sob protesto.

– Max, conheça minha tia e seu marido.

Engoli em seco. Não havia notado o homem.

– Estamos indo a uma reunião familiar. Sei que eles estão felizes por encontrá-lo.

– Usamos seus livros em nossos estudos bíblicos domésticos – disse o tio de meu amigo. – Você tem boas idéias.

Se você soubesse, pensei comigo mesmo. Eu havia cometido o pecado comum de não perdoar. Dera o veredicto sem conhecer a história.

Perdoar alguém é admitir nossas limitações. Deram-nos apenas parte do quebra-cabeça. Apenas Deus possui o jogo completo.

Perdoar alguém é demonstrar reverência. Perdoar não é dizer que a pessoa que o magoou estava certa.

Perdoar é admitir que Deus é justo e fará o que é certo.

Além do mais, já não temos o bastante a fazer, para também tentarmos executar o trabalho que pertence a Deus?

Adivinhem. Notei algo. O grilo está quieto! Fiquei tão envolvido com este capítulo que me esqueci dele. Há uma hora que não atiro canetas. Acho que dormiu. Será que não era o que estava tentando fazer todo o tempo, e eu o mantive acordado com minhas Bics?

Ele acabou descansando, e eu, terminando este capítulo. Notável o que conseguimos realizar quando deixamos a raiva de lado.

CAPÍTULO CATORZE

Enxergando o que os Olhos Não Podem Ver

Estou a seis passos da cabeceira da cama. Meus braços estendidos. Mãos abertas. Na cama está Sara, de apenas quatro anos, agachada como uma gatinha brincalhona. Ela vai pular. Mas ainda não está pronta. Estou muito perto.

– Mais para trás, papai – ela pede, desafiando-me.

Cedo dramaticamente, confessando admiração por sua coragem. Paro após dois grandes passos:

– Mais? – pergunto.

– Sim! – exclama Sara, aguardando na cama.

A cada passo ela ri, bate palmas e acena pedindo distância. Quando estou do outro lado do abismo, além do alcance do homem mortal, quando me torno uma pequena figura no horizonte, ela decreta:

– Aí está bem.

– Você tem certeza?

– Sim – ela grita.

Estendo meus braços. Uma vez mais ela se agacha, então pula. Super-heroína sem capa. Apenas seu coração voa mais alto do que seu corpo. Naquele momento de aerotransportação, sua única esperança era o pai. Caso ele demonstrasse fraqueza, ela vacilaria;

se demonstrasse crueldade, ela cairia; se demonstrasse negligência, ela tombaria.

Porém ela não conhece tal medo, pois confia em seu pai. Quatro anos sob o mesmo teto haviam-na convencido de que ele era confiável. Não é o Super-homem, mas é forte. Não é santo, mas é bom. Não é brilhante, mas não precisa ser lembrado de segurar sua filha quando ela pula.

Então a garotinha pula.

Então ela voa.

Então, ele a agarra e ambos alegram-se com o casamento de sua confiança e a fidelidade dele.

Fico a alguns passos de outra cama. Agora ninguém ri. O ambiente é solene. Uma máquina bombeia ar para o corpo cansado. Um monitor regula as batidas de um coração fatigado. A mulher deitada não é uma criança. Já foi certa vez. Há décadas. Mas não agora.

Assim como Sara, ela precisa confiar. Há poucos dias fora da sala de operação, informaram-na de que precisaria voltar. Suas mãos frágeis apertam as minhas. Há em seus olhos um certo medo.

Diferente de Sara, ela não vê o pai. Mas o Pai a vê. *Confie nEle,* digo a nós dois. *Confie na voz que sussurra o seu nome. Segure nas mãos dEle.*

Sento-me à mesa em frente a um bom homem. Bom e temeroso. Seu medo é honesto. Suprimentos acabando. Inflação alta. Tem uma folha de pagamento e contas a pagar. Ele não tem desperdiçado, brincado ou arriscado. Tem trabalhado duro e orado com freqüência, mas agora tem medo. Por trás do terno há um tímido coração. Ele agita seu café e olha para mim com o mesmo olhar de Wile E. Coyote ao perceber que corre para o topo do penhasco. Ele está prestes a cair, e muito rápido. É como Pedro, no mar, vendo a tempestade, e não a face. Ele é Pedro nas ondas, ouvindo o vento, e não a voz.

Confie, eu imploro. Mas a palavra não é absorvida. Ele está desacostumado a tais práticas. É um homem que age pela razão. Mesmo quando empina papagaio além das nuvens, ainda segura o barbante. Mas o barbante agora escorregara. E o céu está silencioso.

Estou a apenas alguns passos distante do espelho e vejo um homem que falhou... com o seu Criador. Prometi que não aconteceria, mas falhei. Fiquei calado quando deveria ter sido corajoso. Sentei-me quando deveria ter ficado em pé.

Se esta fosse a primeira vez, seria diferente. Mas não é o caso. Quantas vezes alguém falha e espera ser apanhado?

Confie. Por que é fácil dizer aos outros e difícil a si mesmo? Deus pode lidar com isso? Eu disse à mulher que sim. Pode Deus lidar com débitos? Especulo o mesmo quanto ao homem. *Deus pode ouvir mais alguma confissão destes lábios?* pergunta a face no espelho.

Agora estou sentado a poucos metros de um homem à beira da morte. Judeu de nascimento. Fazedor de tendas por profissão. Apóstolo pelo chamado. Seus dias estão contados. Estou curioso em saber o que o sustenta ao aproximar-se o momento da execução. Faço, então, algumas perguntas.

– Você tem família, Paulo?

– Não.

– E a sua saúde, como anda?

– Meu corpo está abatido e cansado.

– Quais as suas posses?

– Tenho meus pergaminhos, uma caneta. Minha capa.

– E sua reputação?

– Bem, não é muito boa. Sou herético para alguns, independente para outros.

– Tem amigos?

– Sim, mas mesmo alguns deles me ignoram.

– Algum prêmio?

– Não aqui na Terra.

– Então o que você tem, Paulo? Sem posses, família. Criticado por muitos. Zombado por outros. O que você tem, Paulo? O que possui de importante?

Sento-me e aguardo em silêncio. Paulo olha para uma de suas mãos. Olho para ela também. O que está segurando? O que possui?

Ele a estende para que eu possa ver. Abre seus dedos. Fito sua palma. Está vazia.

– Tenho minha fé. É tudo que possuo. Mas é só o que necessito. Guardei minha fé.

Paulo recosta-se na parede de sua cela e sorri. E me apoio na outra e observo a face de um homem que aprendeu haver na vida mais coisas do que os olhos possam ver.

Isto é fé. Fé é confiar no que os olhos não podem ver.

Os olhos vêem o leão que se aproxima. A fé vê o anjo de Daniel.

Os olhos vêem a tempestade. A fé vê o arco-íris de Noé.

Os olhos vêem o gigante. A fé vê Canaã.

Seus olhos vêem as falhas. Sua fé vê o Salvador.

Seus olhos vêem a culpa. Sua fé vê o sangue de Jesus.

Seus olhos vêem a cova. Sua fé vê a cidade que Deus construiu.

Seus olhos vêem no espelho um pecador falho e incapaz de cumprir promessas. Mas pela fé você olha no espelho e vê um pródigo com o anel da graça em seu dedo e o beijo do Pai em sua face.

– Mas, espere um momento – alguém pergunta. – Como poderei saber se isto é verdade? Boa conversa, mas dê-me os fatos. Como saberei que não são esperanças vãs.

Parte da resposta pode ser encontrada nos pequenos pulos confiantes de Sara. Sua irmã mais velha, Andrea, estava no quarto assistindo, e quando perguntei a Sara se pularia para os braços da irmã, ela recusou-se. Tentei convencê-la. Ela não aceitou. – Por que não? – perguntei.

– Só pulo em braços grandes.

Se achamos que os braços são fracos, não pulamos.

Por isso o Pai dobrou seus músculos: "E a qual sobreexcelente grandeza do seu poder sobre nós, os que cremos, segundo a operação da força do seu poder, que manifestou em Cristo, ressuscitando-o dos mortos e pondo-os à sua direita nos céus" (Ef 1.19,20).

Da próxima vez que ficar em dúvida se Deus pode ou não ampará-lo, leia este versículo. Os grandes braços que venceram a morte estão abertos, esperando por você.

Da próxima vez em que cogitar se Deus pode perdoá-lo, leia este versículo. As fortes mãos que foram pregadas na cruz estão abertas para você.

E, da próxima vez em que duvidar se sobreviverá ao salto, pense em Sara e em mim. Se um pai de carne e osso pode segurar sua filha, não acha que o Pai eterno pode fazer o mesmo com você?

CAPÍTULO QUINZE

Vencendo Sua Herança

Stefan pode contar sobre árvore genealógica. Sua vida está completamente ligada a isto. Ele herdou uma floresta na Alemanha que pertence à sua família há quatrocentos anos. As árvores que ele derruba foram plantadas há 180 anos por seu bisavô. As que planta agora não estarão prontas a serem comercializadas até o nascimento de seus bisnetos.

Ele faz parte de uma cadeia.

– Cada geração necessita escolher – falou-me. – Eles podem saquear ou plantar. Podem violar a paisagem e ficar ricos, ou podem cuidar dela, derrubando apenas o que lhes pertence e deixando o investimento para os filhos.

As árvores que Stefan derruba foram semeadas por homens que ele nunca conheceu.

O que ele semeia será derrubado por descendentes que ele nunca verá.

Dependente do passado. Responsável pelo futuro. Ele é parte de uma cadeia.

Como nós. Somos crianças do passado. Pais do futuro. Herdeiros. Beneficiários. Favorecidos pelo trabalho realizado por outros. Nascidos em uma floresta que nunca semeamos.

Isto me leva à pergunta: Como está nossa floresta?

Uma vez na terra deixada por seus ancestrais, em que condições ela está? Como você se sente?

Orgulhoso pelo legado? Talvez. Alguns herdaram solos nutridos. Árvores com profundas raízes de convicção. Filas e filas de verdade e herança. Pode ser que você esteja orgulhoso na terra de seus pais. Se assim for, louve a Deus, pois muitos não estão na mesma situação.

Muitos não estão orgulhosos pela árvore genealógica da família. Pobreza. Vergonha. Abuso. Estas são algumas das florestas de certo número de vocês. A terra foi saqueada. A colheita foi feita, mas nenhuma semente plantada.

Talvez você tenha sido criado em um lar fanático, então é uma pessoa intolerante às minorias. Pode ter sido criado em um lar de ganância. Conseqüentemente, seus desejos de bens materiais são insaciáveis.

Talvez suas memórias de infância lhe tragam mais dor que inspiração. As vozes do passado o afligem, depreciam e ignoram. Até agora, pensava serem típicos esses sentimentos. Mas percebe que não são.

E vê-se tentado a explicar seu passado.

Falarei sobre um homem que deve ter pensado assim. Sua herança foi trágica. Seu avô era um assassino e místico que sacrificou o próprio filho em um ritual ultrajante. Seu pai era um baderneiro que invadia casas de oração e escarnecia dos crentes. Foi morto aos 24 anos... por seus amigos.

Os homens eram característicos de sua época. Viviam num tempo em que as prostitutas prestavam seus serviços em casas de orações. Mágicos tratavam doenças com salmos. Pessoas adoravam as estrelas e seguiam horóscopos. Muitas interessavam-se mais por superstição e vodu do que pela educação dos filhos.

Era uma época ruim para alguém nascer. O que fazer quando seu avô pratica magia negra, seu pai é um patife e sua nação está corrompida?

Daria ele prosseguimento àquela situação? Alguns pensavam que sim. Rotularam-no delinqüente antes que tivesse nascido, uma parte do velho bloco degenerado. Podemos quase ouvir as pessoas murmurando ao passar:

– Este será como o pai.

Mas estavam errados. Ele reverteu o rótulo. Desafiou a herança maligna. Como uma barreira, posicionou-se contra as tendências dos seus dias e redirecionou o futuro da nação. Suas realizações foram tão notáveis que ainda são contadas 2.600 anos depois.

É a história do rei Josias. O mundo tem visto reis sábios, opulentos, poderosos. Porém, a História jamais presenciou um rei mais corajoso que o jovem Josias.

Nascido seiscentos anos antes de Cristo, Josias herdou um frágil trono e uma coroa manchada. O Templo estava em desordem, a Lei fora perdida e o povo adorava o deus que desejasse. Mas, ao final de 31 anos de reinado, o Templo estava reconstruído, e os ídolos, destruídos. E a lei de Deus foi uma vez mais elevada ao lugar de domínio e poder. A floresta havia sido recuperada.

Manassés, avô de Josias, era lembrado como o rei que "derramou muitíssimo sangue inocente, até que encheu a Jerusalém de um ao outro extremo" (2 Rs 21.16). Seu pai, rei Amon, morreu pelas mãos dos próprios oficiais. "E fez o que era mau aos olhos do Senhor", diz a Bíblia.

Os cidadãos mataram os assassinos, e o garoto Josias, de oito anos de idade, subiu ao trono. Logo ao assumir fez uma audaciosa escolha: "E fez o que era reto aos olhos do Senhor; e andou em todo o caminho de Davi, seu pai, e não se apartou dele nem para a direita nem para a esquerda" (2 Rs 22.2).

Ele procurou na história de sua família até encontrar um ancestral digno de ser imitado. Josias pulou a vida de seu pai e desviou-se da de seu avô. Retroagiu até encontrar Davi e resolveu:

– Serei como ele!

Moral da história? Não podemos escolher nossos parentes, mas podemos escolher nossos mentores.

E, tendo Josias escolhido Davi (que havia optado por Deus), as coisas começaram a acontecer.

O povo derrubou os altares dos baalins, como Josias ordenara.

Josias acabou com os altares de incenso.

Quebrou os ídolos e transformou-os em pó.

Queimou os ossos dos sacerdotes.

Destruiu os altares.

Destruiu os bosques, as imagens de escultura em toda terra de Israel (2 Cr 34.4,5,7).

Nada que se possa chamar de viagem diplomática.

Mas, voltando ao assunto, Josias não estava interessado em fazer amigos, e sim em acertar as contas:

– Meu ensinamento não é o de meus pais. O que eles abraçaram eu rejeito.

E isso não foi tudo. Durante muitos anos, até os 26, sua atenção esteve voltada para o Templo. Ele estava em ruínas. O povo negligenciara sua conservação. Mas Josias era determinado. Algo aconteceu, e sua paixão pela restauração do Templo foi acesa. Fora-lhe passado o bastão. E também a tocha.

Logo no início de seu reinado, ele resolvera servir ao Deus de seu ancestral Davi. Agora, escolhe servir ao Deus de mais alguém. Leia 2 Crônicas 34.8: "E, no ano décimo-oitavo do seu reinado, havendo já purificado a terra e a casa, enviou Safã, filho de Azalias, e a Maaséias, maioral da cidade, e a Joá, filho de Joacaz, registrador, para repararem a Casa do Senhor, *seu Deus*" (grifo meu).

Deus era *o seu* Deus. Davi e Josias possuíam a mesma fé. Ele encontrara o Deus de Davi e o seguira. Quando o Templo estava sendo reconstruído, um dos trabalhadores achou um pergaminho. Nele estavam as palavras que Deus dera a Moisés há quase mil anos.

Quando Josias ouviu aquelas palavras ficou chocado. Lamentou pelo povo ter-se afastado tanto de seu Deus que sua palavra nem mais fazia parte de suas vidas.

Ele mandou consultar a profetiza:

– O que acontecerá com o nosso povo?

Ela respondeu que, como ele se arrependera ao ouvir as palavras de Deus, sua nação seria poupada da ira divina (veja 2 Cr 34.27). Incrível! Uma geração inteira recebeu graça pela integridade de um homem.

Poderia Deus tê-lo colocado no mundo por esta única razão?

Poderia Deus ter deixado você nascer pelo mesmo motivo?

Talvez você não tenha muito de que se orgulhar sobre o seu passado. Talvez tenha feridas mortais. E agora, como Josias, precisa fazer uma escolha. Transporá o passado e fará a diferença? Ou permanecerá controlado pelo passado e inventará desculpas?

Muitos optam pela última.

Muitos escolhem a convalescença dos corações. Corpos saudáveis. Mentes astutas. Porém, sonhos aposentados. Para frente e para trás, eles balançam na cadeira do remorso, repetindo as palavras de rendição. Incline-se um pouco e os ouvirá:

– Se ao menos...

A bandeira branca do coração.

– Se ao menos...

– Se ao menos eu tivesse nascido em outro lugar...

– Se ao menos eu recebesse um tratamento justo...

– Se ao menos meus pais fossem mais distintos, e eu tivesse mais dinheiro, mais oportunidades...

– Se ao menos eu tivesse recebido mais instrução, menos surras, ou falasse corretamente...

Talvez você venha usando estas frases, e muitas vezes com toda razão. Talvez, você, assim como Josias, tenha ouvido o juiz contar até dez antes mesmo de entrar no ringue. Para encontrar um ancestral digno de imitação, você, como Josias, necessita folhear o álbum de família.

Neste caso, deixe-me mostrá-lo onde procurar. Coloque de lado o álbum e pegue sua Bíblia. Vá até o Evangelho de João e leia as palavras de Jesus: "O que é nascido da carne é carne, e o que é nascido do Espírito é espírito" (Jo 3.6).

Pense nisto. A vida espiritual vem do Espírito! Seus pais podem ter dado genes a você, mas Deus lhe dá graça. Seus pais podem ser responsáveis por seu corpo, mas Deus tem comandado sua alma. Sua mãe pode cuidar de você, porém seu Pai celestial tem-lhe dado a eternidade.

A propósito, Ele está ciente de seus problemas. De fato, Deus pode dar-lhe o que você não teve de sua família.

Você não teve um bom pai? Ele será seu Pai:

> Assim que já não és mais servo, mas filho; e, se és filho, és também herdeiro de Deus por Cristo (Gl 4.7).

Não teve nenhum modelo ou padrão? Tente Deus.

> Sede, pois, imitadores de Deus, como filhos amados (Ef 5.1).

Nunca teve um pai ou mãe que enxugasse suas lágrimas? Pense novamente. Deus observou cada uma.

> Tu contaste as minhas vagueações; põe as minhas lágrimas no teu odre; não estão elas no teu livro? (Sl 56.8).

Deus não o deixou à deriva no mar da hereditariedade. Assim como Josias, você não pode controlar a maneira como seus ancestrais agiram com Deus. Mas pode controlar o seu modo de vida diante dEle. O passado não pode aprisioná-lo. Você tem uma opção em seu destino, uma escolha em seus passos.

Escolha bem, e, algum dia nas futuras gerações, seus netos e bisnetos agradecerão a Deus pelas sementes que você plantou.

CAPÍTULO DEZESSEIS

A Suave Canção do Segundo Plano

Durante milhares de anos, o relacionamento havia sido perfeito. Tanto quanto alguém poderia lembrar, a Lua refletira fielmente os raios do Sol na noite escura. Era o maior dueto do Universo. Outras estrelas e planetas maravilhavam-se pela confiança de ambos. Geração após geração de habitantes da Terra foram fascinados por seu reflexo. A Lua tornou-se símbolo de romance, grandes esperanças e poemas infantis.

Bem, de certa forma, pois na verdade a Lua não brilha. Ela reflete. Ela toma a luz fornecida pelo Sol e a redireciona para a Terra. Uma simples questão de receber iluminação e compartilhá-la.

Você poderia pensar que tal soneto duraria para sempre, o que quase aconteceu. Porém, certo dia, uma estrela vizinha plantou um pensamento no âmago da Lua.

– Acho que não é fácil ser a Lua – insinuou a estrela.

– O que você quer dizer com isto? Adoro minha vida. Tenho um importante trabalho a realizar. Ao escurecer, as pessoas buscam meu auxílio, e eu olho para o Sol. Ele me dá o necessário, e eu repasso às pessoas. Elas dependem de mim para iluminar seu mundo. E eu dependo do Sol.

– Então, você e o Sol precisam estar bem juntos.

– Juntos?

– Sim, como o homem e o fantoche.

– Bem, não sei nada sobre fantoches.

– É exatamente o que quero dizer. Você é o fantoche. Não possui luz própria, é dependente do Sol. É a sombra. Não possui fama alguma por si própria.

– Famosa por mim mesma?

– É, você tem estado em segundo plano por muito tempo. Precisa agir por si própria.

– O que você quer dizer?

– Quero dizer parar de refletir e começar a gerar. Fazer por si mesma. Ser o seu chefe. Fazer com que as pessoas a vejam por quem você realmente é.

– Quem sou eu?

– Bem, você é... hum... é o que precisa descobrir. Quem realmente é.

A Lua parou e pensou por um momento. O que a estrela dissera fazia sentido. Embora nunca houvesse considerado, a Lua estava repentinamente atenta a todas as injustiças daquele relacionamento. Por que tinha de trabalhar no turno da noite todo o tempo? E, por que havia sido a primeira a ser pisada pelos astronautas? Por que era sempre acusada de oscilar? Por que os lobos e cachorros não escolhiam uivar ao Sol, só para variar?

– Você está certa! – respondeu a Lua. – Está na hora de termos uma eqüidade solar-lunar!

– Agora sim, estou sentindo firmeza – encorajou a estrela. – Descubra a verdadeira Lua!

Este foi o início do colapso. Ao invés de voltar sua atenção para o Sol, a Lua começou a prestar atenção em si mesma.

Emaranhou-se no curso da auto-intensificação. Além do mais,

seu aspecto era uma desgraça, cheia de crateras por todo lado. Seu guarda-roupa era tristemente limitado a três versões. Cheia, meia e um quarto. E sua coloração, amarela anêmica.

Então, apoiada em sua determinação, começou a esforçar-se para ser a Lua.

Encomendou produtos para sua cor. Modificou sua aparência, incluindo novas formas, como triangulares e quadradas. E, para colorir, optou por um laranja vivo.

– Ninguém mais poderá dizer que pareço com um queijo.

A nova Lua estava mais magra e encorpada. Sua superfície era suave como a pele de um bebê. Tudo era fino e novo.

Inicialmente, a nova aparência a manteve em seu próprio brilho. Meteoros viajantes paravam para uma visita. Estrelas distantes a elogiavam. Luas amigas a convidavam até suas órbitas para assistir "Como Gira a Terra".

Tinha ela agora amigos e fama; não precisava do Sol – até as coisas mudarem. De repente ela estava fora de moda. Cessaram os cumprimentos, e as risadinhas começaram, fazendo com que percebesse seu estado.

Assim, mudou sua cor alaranjada para um tom mais *country*.

Foi a mais dolorosa cutucada de uma rocha em sua superfície que finalmente a fez pensar: *Para que tudo isto?* Um dia estava nas capas das revistas, e no outro, completamente esquecida. Viver para receber aplausos é um caminho errado.

Pela primeira vez desde que começara sua campanha de autoconhecimento, a Lua pensou no Sol. Lembrou-se dos bons e velhos milênios quando não interessavam os elogios. O que as pessoas pensavam sobre ela não importava, pois seu objetivo não era ser observada. Qualquer elogio vindo a seu encontro era rapidamente repassado ao chefe. O plano do Sol estava começando a fazer sentido para a Lua:

– Ele pode estar prestando-me um favor.

Ela então olhou para a Terra. As luzes terrestres pareciam quase um show. Eles nunca sabiam o que esperar dela, para confiar o suficiente. Estabelecimentos haviam utilizado sua forma para decorar suas iluminações.

Mas o frio era o que mais a incomodava. A ausência da luz solar a deixava depressiva. Sem calor, ardor. Seu sobretudo não ajudava muito. E não podia. O frio tremor vinha de dentro, um calafrio que a fazia sentir-se gélida e solitária.

E era exatamente esta a sua situação.

Certa noite, ela olhou para as pessoas andando no escuro e ficou atordoada por sua frivolidade. Pensou então no Sol. *Ele me dava tudo que eu precisava. Eu tinha um propósito. Era aquecida. Satisfeita. Era... era o que fui criada para ser.*

De repente sentiu o calor familiar. Ao virar-se, ali estava o Sol.

– Estou contente que esteja de volta – disse ele. – Voltemos ao trabalho.

– Agora mesmo! – concordou a Lua.

O sobretudo foi deixado de lado, a harmonia estava de volta e a luz era vista no escuro céu. Em sua totalidade, ainda mais brilhante.

E, desde esse dia, quando o Sol brilha, a Lua reflete e a escuridão é iluminada, a Lua não reclama nem sente mais ciúmes. Ela apenas executa o trabalho para o qual foi criada.

A lua reflete...

CAPÍTULO DEZESSETE

Sua Mochila de Pedras

Você possui uma. Uma mochila. Provavelmente não sabe, talvez ninguém tenha lhe contado. Pode ser que não se lembre. Mas lhe foi dada.

Você precisa dela para carregar as pedras. Rochas, penedos, cristais. Todos os tamanhos e formas. Todos não desejados.

Você não os pediu ou procurou por eles. Mas lhe foram dados.

Não se lembra?

Algumas foram as rochas da rejeição. Uma você ganhou quando não passou naquela tentativa. Não foi por falta de esforço. Deus sabe o quanto treinou e se esforçou. Pensou que era bom demais para o time. Mas não o treinador. Não o instrutor. Você achava-se bom o suficiente, mas eles não concordaram.

Eles e quantos outros?

Não é necessário viver muito para ter uma coleção de pedras. Faça um mau curso, uma escolha ruim. Cometa um erro. Seja chamado por alguns nomes. Seja escarnecido. Seja abusado.

E as pedras não param na adolescência. Esta semana, enviei uma carta a um homem desempregado, rejeitado em mais de cinqüenta entrevistas.

Então a mochila começa a pesar com o número de pedras. Pedras de rejeição. Pedras que não desejamos. Juntando-se a algumas que nós mesmos já possuímos.

Olhe dentro da mochila e verá que nem todas a pedras são de rejeição. Há um segundo tipo delas. Pedras de remorso.

Remorso pela vez em que perdeu a paciência.

Remorso pelo dia em que perdeu o controle.

Remorso pelo momento em que perdeu o orgulho.

Remorso pelos anos em que perdeu suas prioridades.

E até mesmo remorso pelo momento em que perdeu sua inocência.

Pedra após pedra, culpa após culpa. Com o tempo, o fardo começa a pesar. Ficamos cansados. Como planejar o futuro, se toda a sua energia é requerida para carregar o passado?

Não admira que algumas pessoas tenham a aparência miserável. O peso diminui o passo. Carregá-lo causa irritação. Ajuda a explicar a irritação em muitas faces, a lerdeza em muitos passos, a curvatura de muitos ombros e, mais do que tudo, o desespero em muitas atitudes.

Você está disposto a fazer qualquer coisa para descansar um pouco.

Então, leva o fardo de pedras ao escritório. Resolve trabalhar duro para esquecê-lo. Chega cedo e fica até tarde. As pessoas ficam impressionadas. Mas quando chega o momento de ir para casa, lá está ele – esperando para ser carregado.

Você leva as pedras nos momentos de diversão. Com um nome desses, deve ser um alívio. Então coloca-o no chão, senta-se no banquinho e bebe um pouco. A música aumenta e a cabeça fica mais leve. Entretanto, chega o momento de partir, e, ao olhar para baixo, lá está sua mochila.

Você entra para a terapia. Senta-se no sofá com o fardo a seus pés, espalha todas as pedras no chão e as nomeia uma a uma. A terapeuta ouve. Ela demonstra empatia. São dados alguns conselhos proveitosos. Mas, quando termina a sessão, você é obrigado a juntá-las e levá-las consigo.

Fica tão desesperado que tenta um encontro de fim de semana.

Um pouco animador. Um tanto arriscado. Uma noite de paixão roubada. E, por um momento, o fardo fica mais leve. Mas acaba o fim de semana. Põe-se o sol de domingo, e segunda-feira está às portas. E – novamente – seu fardo de culpas e rejeições.

Alguém o leva à igreja. Quem sabe a religião não poderá ajudar! Mas, ao invés de remover algumas pedras, alguns bem intencionados porém desencaminhados pregadores podem adicionar outras ao fardo. Os mensageiros de Deus às vezes magoam mais que ajudam. E você pode deixar a igreja com algumas pedras novas.

O resultado? Uma pessoa caminhando pela vida preguiçosamente a carregar o peso do passado. Não sei se notou, porém é difícil ser atencioso quando se está carregando pedras. É penoso ser positivo quando se tem fome de afirmação. É difícil alguém ser perdoado sentindo culpa.

Paulo faz uma observação interessante sobre a maneira de tratar as pessoas. Ele fala sobre o casamento, mas o princípio aplica-se a qualquer relação: "Quem ama sua mulher ama-se a si mesmo" (Ef 5.28). Há uma relação entre o que sentimos sobre nós mesmos e sobre os outros. Se estamos em paz com nós mesmos – se gostamos de nós mesmos – teremos paz com os outros.

E a recíproca é verdadeira. Se alguém não gosta de si mesmo, é envergonhado, embaraçado ou nervoso, as outras pessoas saberão. A parte trágica da história da mochila de pedras é a nossa tendência de atirá-las nas pessoas a quem amamos.

A menos que o ciclo seja interrompido.

Isso leva-nos à questão: Como uma pessoa pode conseguir alívio?

Como resposta, temos um dos mais belos versículos da Bíblia: "Vinde a mim todos os que estais cansados e oprimidos, e eu vos aliviarei. Tomai sobre vós o meu jugo, e aprendei de mim, que sou manso e humilde de coração, e encontrareis descanso para a vossa alma. Porque o meu jugo é suave, e o meu fardo é leve" (Mt 11.28-30).

Você já sabia que eu iria citar estes versos. Posso vê-lo segurando este livro e acenando com a cabeça.

– Já tentei isso, já li a Bíblia, já sentei no banco da igreja – mas nunca recebi alívio.

Se este for o caso, posso fazer-lhe uma pergunta delicada porém refletida? Não teria você buscado a religião ao invés de Deus? Não teria ido à igreja sem conseguir ver Cristo?

"Vinde a mim", diz o versículo.

É fácil ir ao lugar errado. Ontem mesmo fiz isso. Estava em Portland, Maine, pegando um avião para a cidade de Boston. Fui ao terminal, chequei minha bagagem, peguei minha passagem e dirigi-me ao portão de embarque. Passei pela segurança, tomei assento e esperei até que o vôo fosse anunciado. Esperei, esperei e esperei.

Finalmente, fui ao balcão perguntar à atendente e ela respondeu assustada:

– O senhor está no portão errado.

Imagine se eu tivesse ficado amuado e suspirando:

– Bem, não deve haver nenhum vôo para Boston. Parece que estou preso aqui.

Você teria dito:

– Não é verdade. Você apenas estava no portão errado. Dirija-se ao portão de embarque correto e tente novamente.

Não é o que você tem feito – Há anos vem tentando lidar com o seu passado. Álcool. Casos Amorosos. Trabalho em excesso. Religião.

Jesus afirma que Ele é a solução para o cansaço da alma.

Vá até Ele. Seja honesto com Ele. Admita possuir segredos em sua alma com os quais nunca lidou. Ele já sabe quais são. Apenas está esperando que você lhe peça auxílio. Tão-somente aguarda que você lhe entregue o seu fardo de pedras.

Vá em frente, e ficará completamente satisfeito. (Os que estiverem próximos a você também ficarão... será difícil atirar pedras depois que as tiver deixado aos pés da cruz.)

CAPÍTULO DEZOITO

Sobre Oz e Deus

Você, eu e Dorothy, de *O Mágico de Oz*, temos muita coisa em comum.

Todos sabemos o que é estar em terra estrangeira rodeado por pessoas desconhecidas.

Embora nosso caminho escolhido não seja pavimentado com tijolos amarelos, temos a esperança que ele nos leve ao lar.

As bruxas do Leste querem mais do que nossos rubis.

E Dorothy não é a primeira pessoa a encontrar-se rodeada por pessoas sem cérebro, coração e coragem.

Parecemos com Dorothy.

Mas quando ela chega à Cidade das Esmeraldas, a similaridade é fantástica. O que o Mágico disse a ela, alguns pensam que Deus disse a nós.

Vocês se lembram da terra. Cada um dos personagens vão a Oz com uma necessidade. Dorothy busca o caminho de casa. O espantalho quer sabedoria. O homem-lata deseja um coração. O leão necessita coragem. Eles ouviram que o Mágico de Oz poderia satisfazer os desejos de todos. Então foram ao seu encontro. Tremendo em sua presença e ofegantes diante do seu poder. E, com toda coragem que conseguiram reunir, apresentaram seus pedidos.

A resposta? Ele ajudaria *após* demonstrarem se mereciam ou não. Ele os atenderia assim que vencessem a fonte do mal.

– Tragam-me a vassoura da bruxa – sentenciou. – E os ajudarei.

E assim fizeram. Escalaram as paredes do castelo, venceram a bruxa e, durante o processo, fizeram algumas descobertas assustadoras. Descobriram que poderiam vencer o mal e que, com um pouco de sorte, uma mente rápida pode dar ao mal o que ele merece. E descobriram que podiam fazer tudo sem o Mágico.

Isto foi bom, pois, quando voltaram a Oz, os quatro descobriram que o Mágico não era como pensavam. A cortina é aberta e o todo-poderoso revelado. Aquele que adoravam e temiam nada mais era que um professor careca apoiado por um bom show de luzes, mas incapaz de resolver seus problemas.

Ele se redime, de qualquer forma, pelo que mostra ao bando de peregrinos. (Esta é a parte que me faz pensar que o Mágico pode ter feito um circuito pelos púlpitos antes de ter chegado à posição de mágico.) Ele diz a Dorothy e seus amigos que todo o poder de que precisam é o que já têm. Explica-lhes que o poder para lidarem com seus problemas estava com eles durante todo o tempo. Além do mais, não demonstrara o espantalho sabedoria, o homem-lata, compaixão, e o leão, coragem quando brigaram com a bruxa? E Dorothy não precisa de grandes poderes; tudo que necessitava era um bom balão movido a ar quente.

A história termina com Dorothy descobrindo que seu pior pesadelo era na realidade apenas um sonho ruim. Que seu lar, em algum lugar além do arco-íris, estava exatamente onde ela sempre esteve. E que é bom ter amigos em posições importantes, mas, ao final, depende só de você achar o caminho de casa.

Moral da história de *O Mágico de Oz*? Você já possui tudo o que necessita.

O poder que você precisa é o que já possui. Apenas observe um pouco mais, e não haverá coisa que não possa realizar.

Parece familiar? Patriótico? Parece... cristão?

Durante anos pareceu-me desta forma. Sou de uma família tradicional. Produto de cultura austera e colarinho azul, que honrava a decência, a lealdade, o trabalho duro, e amava versos bíblicos do tipo: "Deus ajuda aqueles que se ajudam" (não, isto não consta da Bíblia).

"Deus começou e precisamos terminar isto", era o nosso lema. Ele fez a sua parte, agora façamos a nossa. É uma posição meio a meio. Um currículo faça-você-mesmo, sendo maior a nossa parte que a de Deus.

"Bem-aventurados os ocupados" proclama essa teologia. "Estes são os verdadeiros cristãos".

Não há necessidade do sobrenatural. Não há espaço para o extraordinário, transcendental. A oração tornara-se um símbolo. (A verdadeira força está em você, não "lá em cima".) A Comunhão tornou-se um ritual. (Você é o verdadeiro herói, não Ele.) E o Espírito Santo? Bem, o Espírito Santo tornou-se nada mais que uma disposição agradável para uma atitude mental positiva. É uma visão de Deus do tipo siga-seu-caminho-pelo-vento-do-mundo. E a filosofia funciona... contanto que você trabalhe. Sua fé é forte, contanto que você seja forte. Sua posição é segura, contanto que você seja seguro. Sua vida é boa, contanto que você seja bom.

Mas eis o problema, quando o Professor diz: "Não há bom" (Mt 19.17). Ninguém é sempre forte ou sempre seguro.

O cristianismo faça-você-mesmo não é muito encorajador para o fraco e abatido.

A auto-santificação proporciona pouca esperança para o viciado.

"Tente um pouco mais" é pouco encorajador para quem sofreu abuso.

Chega o momento em que necessitamos mais que simples conselhos: precisamos de ajuda. Em algum lugar nesta jornada para casa percebemos que a posição meio a meio é muito deficiente. Precisamos mais – mais que um mágico careca que nos agradece por ter vindo, porém revela que nossa viagem foi desnecessária.

Precisamos de ajuda. De dentro para fora. O tipo de ajuda prometida por Jesus: "E eu rogarei ao Pai, e ele vos dará outro Consolador, para que fique convosco para sempre, o Espírito da verdade, que o mundo não pode receber, porque não o vê, nem o conhece; mas vós o conheceis, porque habita convosco e estará em vós" (Jo 14.16,17).

Note as palavras finais do versículo. Atente para o local da morada de Deus: "em vós".

Não perto de nós, ou sobre nós, ou ao nosso redor. Mas *em* nós. Em uma parte de nós que não conhecemos. No coração que ninguém jamais viu. Nos secretos recessos de nosso ser mora não um anjo, filosofia ou gênio, mas Deus!

Imagine isto.

Quando minha filha Jenna tinha seis anos, surpreendi-a olhando-se em um espelho de tamanho grande. Ela olhava sua garganta. Perguntei-lhe o que fazia, e ela respondeu.

– Estou tentando ver se Deus está em meu coração.

Dei risada, e então ouvi-a perguntar a Ele:

– O Senhor está aí?

Quando não houve resposta, ela ficou impaciente e falou, em seu próprio interesse. Com a voz mais profunda que uma criança de seis anos pode fazer, ela disse:

– Sim.

Ela fazia a pergunta certa:

– O Senhor está aí?

Seria verdade o que dizem? Não foi suficiente para o Senhor aparecer em um arbusto ou habitar no Templo? Não foi suficiente ter-se tornado homem e andar na Terra? Não foi suficiente deixar o seu mundo e a promessa de que retornaria? Precisava ir além? Precisava fixar residência em nós?

"Ou não sabeis", disse Paulo, "que o nosso corpo é o templo do Espírito Santo?" (1 Co 6.19)

Talvez não saiba que Deus iria tão longe para certificar-se de que você chegará em casa. Caso contrário, obrigado por deixar-me lembrá-lo.

O Mágico manda você olhar para dentro de si mesmo e encontrar-se. Deus manda você olhar para si mesmo e encontrá-lo. O primeiro o levará até São Paulo.

O segundo o levará ao Céu.

Tome sua decisão.

CAPÍTULO DEZENOVE

Um Trabalho Interno

Tinta spray não conserta ferrugem.

Band-aid não remove tumor.

Cera no capô não conserta a falha no motor.

Se o problema é interno, eis onde precisa ser atacado.

Aprendi isso esta manhã. Saí da cama cedo... realmente cedo. Tanto que Denalyn tentou convencer-me a não ir para o escritório.

– Ainda estamos no meio da noite – resmungou ela. – E se um assaltante tentar entrar lá?

Porém, eu havia tirado férias durante algumas semanas e estava revigorado. Meu nível de energia estava alto assim como a montanha de afazeres em minha mesa. Então, peguei o carro e dirigi até a igreja.

Preciso confessar que as ruas vazias pareciam um tanto assustadoras. Unindo-se isto ao fato de que tentaram arrombar o escritório há algumas semanas, decidi ser mais cuidadoso. Entrei, desativei o alarme e, então, reativei-o para que soasse, caso alguém tentasse invadir.

Brilhante, pensei.

Estava em minha escrivaninha há apenas alguns segundos, quando soou o alarme. *Alguém está tentando entrar!* Desci correndo até a entrada, desliguei-o, voltei ao escritório e liguei para a polícia. Após desligar o telefone, ocorreu-me que os ladrões poderiam entrar antes da chegada da polícia. Corri até o saguão e reativei o sistema de alarme.

– Eles não me pegarão – desafiei-os resmungando.

Quando me virei para voltar ao escritório, as sirenes tocaram novamente. Desarmei o alarme e ajustei-o novamente. Eu podia imaginar os ladrões, frustrados, correndo em direção à escuridão cada vez que soava o alarme.

Caminhei até a janela para ver a polícia. Nesse momento, o alarme soou pela terceira vez. *Espero que a polícia chegue logo,* pensei, enquanto novamente repetia a operação com o aparelho.

Enquanto me dirigia para o meu escritório – adivinhem – o alarme soou. Desliguei-o e não o reativei. *Espere um momento, este sistema de alarme deve estar com defeito.*

Voltei ao meu escritório e liguei para a empresa de alarmes. *Só acontece comigo,* pensei enquanto discava. *Justo hoje ele apresenta defeito!*

– Nosso sistema de alarme disparou – relatei à pessoa que atendeu. – Ou temos um caso de ladrões determinados, ou ele está com mau funcionamento.

Zangado, eu tamborilava com os dedos na escrivaninha enquanto discutíamos as chances.

– Há uma outra possibilidade – ela respondeu.

– O que mais?

– Você sabia que seu prédio é equipado com detector de movimento?

Essa não!

Naquele exato momento, vi as luzes do carro de polícia. Fui ao seu encontro, dizendo:

– Bem, acho que o problema é interno, e não externo.

Eles foram gentis o bastante para não perguntar os detalhes, e fiquei embaraçado o bastante para não fornecer qualquer que fosse. Mas aprendi uma lição: *não se pode consertar um problema interno começando por fora.*

Passei uma hora escondendo-me de ladrões que não estavam ali, colocando a culpa em um sistema que não tinha defeitos e pedindo ajuda sem necessidade. Pensei que o problema viesse de fora. E o tempo todo ele estava do lado de dentro.

Será que sou o único que já fez isto? O único a culpar fontes externas por um problema interno?

Os alarmes também soam em seu mundo. Talvez não com sinos e buzinas, mas com problemas e dores. Seu propósito é sinalizar o perigo. O acesso de raiva é a luz vermelha. Dívida incontrolada é a luz que pisca. A consciência culpada é o sinal de alerta que indica problemas. Relacionamentos gélidos são notícias anunciando nada mais que abuso de negligência.

Você possui alarmes em sua vida. Qual sua reação ao serem desligados? Seja honesto agora. Não houve uma ou outra vez que você tenha buscado uma solução externa para um problema interno?

Não culpou o governo por suas falhas? (Se eles baixassem as taxas, meus negócios dariam certo!) Ou mesmo a família? (Minha mãe sempre gostou mais de minha irmã!) Ou responsabilizou Deus por seus problemas? (Se Ele é Deus, por que não conserta meu casamento?) Ou creditou à igreja sua frágil fé? (São todos um bando de hipócritas!)

Isto me faz lembrar de um jogador de golfe prestes a dar a primeira tacada em direção ao primeiro buraco. Ele oscila e perde a bola. Oscila novamente e acontece de novo. Tenta uma terceira vez e não atinge nada além do ar. Frustrado, olha para seus amigos e julga:

– Homens, este é um percurso difícil.

Ele poderia estar certo. Talvez o percurso fosse difícil. Mas este não era o problema. Você também pode estar certo. Suas circunstâncias podem estar mudando, mas culpá-las não é a solução. Tampouco negligenciá-las. Deus sabe que não é possível silenciar os alarmes da vida fingindo que não estão soando. Porém, Ele sabe que é sensato olhar para o espelho antes de olhar pela janela.

Pense na oração de Davi: "Cria em mim, ó Deus, um coração puro e renova em mim um espírito reto." (Sl 51.10)

Leia a admoestação de Paulo: "E não vos conformeis com este mundo, mas transformai-vos pela renovação do vosso entendimento, para que experimenteis qual seja a boa, agradável e perfeita vontade de Deus" (Rm 12.2).

Porém, mais que tudo, atente para a explicação de Jesus: "Na verdade, na verdade te digo que aquele que não nascer de novo não pode ver o Reino de Deus" (Jo 3.3).

A verdadeira mudança é um trabalho interno. Você pode mudar as coisas durante um ou dois dias através de dinheiro e sistemas, mas o âmago do problema é e sempre será o coração.

Permita-me ser mais específico. Nosso problema é o pecado. Não são as finanças, orçamentos, prisões superlotadas ou traficantes de drogas. Nosso problema é o pecado. Estamos em uma rebelião contra nosso Criador. Estamos separados de nosso Pai. Estamos afastados da Fonte de vida. Um novo presidente ou as autoridades não mudarão este fato. Ele pode ser solucionado apenas por Deus.

É por este motivo que a Bíblia utiliza termos como *conversão*, *arrependimento*, *perdido* e *achado*. A sociedade pode renovar-se, mas somente Deus re-cria.

Eis um exercício para colocar esta verdade em prática. Da próxima vez em que soarem os alarmes em seu mundo, faça a si mesmo três perguntas.

1. Existe algum pecado não confessado em minha vida?

"Enquanto eu me calei, envelheceram os meus ossos pelo meu bramido em todo o dia. Porque de dia e de noite a tua mão pesava sobre mim; o meu humor se tornou em sequidão de estio. Confessei-te meu pecado e a minha maldade não encobri; dizia eu:

Confessarei ao Senhor as minhas transgressões; e tu perdoaste a maldade do meu pecado" (Sl 32.3-5).

(Confessar é contar a Deus os seus atos já vistos por Ele. Ele não precisa ouvi-los tanto quanto você necessita confessá-los. Quer seja muito pequeno para ser mencionado ou extremamente grande para ser perdoado, a decisão não cabe a você. Seu dever é ser honesto.)

2. Há algum conflito mal resolvido em meu mundo?

"Portanto, se trouxeres a tua oferta ao altar e aí te lembrares de que teu irmão tem alguma coisa contra ti, deixa ali diante do altar a tua oferta, e vai reconciliar-te primeiro com teu irmão, e depois vem, e apresenta a tua oferta" (Mt 5.23,24).

(Pelo que sei, esta é a única vez que Deus manda sair mais cedo da igreja. Aparentemente, ele prefere o seu ramo de oliveira ao seu dízimo. Se estiver adorando e lembrar-se de que sua mãe está magoada por você ter esquecido seu aniversário, levante-se do banco e procure um telefone. Talvez ela o perdoe; talvez não. Mas ao menos você pode retornar ao seu banco com a consciência limpa.)

3. Há alguma preocupação irresoluta em seu coração?

"Lançando sobre ele toda a vossa ansiedade, porque ele tem cuidado de vós" (1 Pe 5.7).

(A palavra alemã para preocupação significa "estrangular". A palavra grega significa "dividir a mente". Ambas são corretas. Preocupação é o laço no pescoço e a distração da mente, e nenhum traz qualquer benefício.)

Os alarmes servem a um propósito. Sinalizam problemas. Algumas vezes o problema está do lado de fora. Mas, na maioria dos casos, não está lá. Então, antes de procurar do lado de fora, dê uma boa olhada do lado de dentro.

CAPÍTULO VINTE

Boas Notícias Antes de Dormir

Sedativo pouco eficaz é o último noticiário da noite.

Ontem ocorreu assim comigo. Meu único desejo eram alguns informes sobre resultados do futebol e a contagem alergênica. Mas, para obtê-los, precisei enfrentar o usual monólogo da miséria global.

Não costumo ficar tão transtornado ao assistir os noticiários. Tampouco identifico-me com o tipo de pessoa que se deixa abater facilmente. Penso ser como qualquer outro que encara a tragédia humana com uma parcela de fé. Mas, noite passada... bem, o mundo me pareceu escuro.

Talvez pelas duas crianças atingidas por balas perdidas durante um tiroteio – uma de seis e outra de dez anos.

Quem sabe pelo anúncio assegurando que 26 mil pontes rodoviárias na América estão prestes a ruir.

Nossos médicos, radicalmente contra o cigarro, tencionam legalizar o uso de drogas.

Um bilionário astro do rock é acusado de molestar crianças. Um senador é acusado de persuadir companheiros, aliado à adulteração de procedimentos eleitorais.

Uma ascendente figura política na Rússia recebe o apelido de Hitler.

O débito nacional é profundo. Nossas taxas são altas, o teor de pólen no ar é elevado e o time de futebol de meu interesse foi o perdedor.

– Estas foram as notícias de hoje! – anuncia o impecável locutor.

Questiono a razão do seu sorriso.

A caminho da cama, passo pelos quartos de minhas três filhas já adormecidas. Paro diante de cada cabeceira e penso em seus futuros.

– O que as espera neste mundo? – sussurro enquanto acaricio seus cabelos e ajeito seus cobertores.

Suas maiores preocupações são os testes de matemática, presentes e festas de aniversário. Seria o mundo delas sempre tão inocente? Não. Florestas escuras a cada trilha e cume de penhascos a cada volta. Toda vida tem sua parcela de medo. Minhas filhas não são uma exceção.

As suas também não. E, tão atrativos quanto uma ilha deserta ou um monastério possam parecer, reclusão não é a resposta para enfrentar o assustador amanhã.

Então, qual seria ela? Alguém possui o controle deste trem, ou o maquinista baldeou, como fazemos ao avistarmos uma curva mortal?

Posso ter encontrado parte da resposta no primeiro capítulo do Novo Testamento. Sempre achei estranho que Mateus iniciasse seu livro com a genealogia. Certamente, não é um bom jornalismo. A lista de antepassados não teria sido aprovada pela maioria dos editores.

Porém, Mateus não era jornalista, e o Espírito Santo não tencionava captar a nossa atenção. Ele estava sendo objetivo. Deus havia prometido que o Messias seria da descendência de Abraão (Gn 12.3), e assim se cumpriu.

– Tem dúvidas quanto ao futuro? – pergunta Mateus. – Basta dar uma olhada no passado.

Assim ele abre a arca de cedro da linhagem de Jesus e começa a expor histórias que, acredite-me, algumas delas você e eu teríamos mantido em segredo. A linhagem de Jesus não se adequaria ao padrão das árvores genealógicas mais nobres e afamadas da época. Pareceria mais a ocupação matinal de domingo num cárcere rural.

Ela tem início em Abraão, o pai da nação, que mais de uma vez mentiu como Pinóquio apenas para salvar o pescoço (Gn 12.10-20).

Jacó, neto de Abraão, era um espertalhão. Trapaceou o irmão, mentiu para o pai, foi enganado e então enganou o tio (Gn 27 e 29).

Judá, filho de Jacó, era tão cego pela testosterona que envolveu-se com uma suposta prostituta, sem saber que era sua nora! Quando conheceu a verdadeira identidade da mulher, teve de voltar atrás em sua sentença de morte (Gn 38).

Uma ênfase especial é dada à mãe de Salomão, Bate-Seba (que se banhava em lugares questionáveis), e ao pai dele, Davi, que assistiu ao banho de Bate-Seba (2 Sm 11.2,3).

Raabe era uma prostituta (Js 2.1). Rute era estrangeira (Rt 1.4).

Manassés, citado na lista, fez, entre outras coisas, com que seu filho andasse pelo fogo (2 Rs 21.16). Seu filho Amom até mesmo rejeitou a Deus (2 Rs 21.22).

Parece que quase metade dos reis eram trapaceiros, metade fraudulentos e todos, menos uns poucos, adoravam um ou dois ídolos, para ser mais exato.

Então, leia a lista dos não tão íntegros ancestrais de Jesus. Parece que o único vínculo entre estes e Jesus era a promessa. A promessa do Céu de que Deus os usaria para enviar seu Filho.

Por que Deus usou tais pessoas? Ele não precisava fazê-lo. Não poderia apenas ter deixado o Salvador em alguma porta? Teria sido mais simples desta forma. E, por que Deus nos dá a conhecer essas histórias? Por que Ele relata os erros e tropeços de seu povo?

Simples. Ele sabia que você e eu assistiríamos aos noticiários da noite passada e que iríamos nos afligir. Ele sabia que eu ficaria preocupado. E, é objetivo de Deus que saibamos: quando o mundo se torna turbulento, Ele permanece calmo.

Quer uma prova? Leia o último nome da lista. A despeito da auréola de trapaças e insípidas travessuras de seu povo, o último nome da lista é o primeiro prometido – Jesus.

"E Jacó gerou a José, marido de Maria, da qual nasceu Jesus, que se chama o Cristo" (Mt 1.16).

Pausa. Não há mais nomes listados. Não há mais necessidade. Como se Deus anunciasse a um mundo cético:

– Vejam, fiz como prometi. O plano foi bem-sucedido!

A fome não conseguiu atrapalhar.

Quatrocentos anos de escravidão no Egito não puderam frustrar o plano.

As viagens pelo deserto não o puderam impedir.

O cativeiro babilônico não o pôde inibir.

Peregrinos não conseguiram deteriorá-lo.

A promessa do Messias percorreu seu caminho por 42 gerações de pedras cortadas em pedaços irregulares, formando um colar específico para o Rei que chegava. Assim como prometido.

E a promessa permanece.

Mas aquele que perseverar até ao fim será salvo (Mt 24.13), assegura o filho de José.

No mundo tereis aflições, mas tende bom ânimo; eu venci o mundo (Jo 16.33).

O maquinista não abandonou o trem. A guerra nuclear não constitui uma ameaça a Deus. Economias oscilantes não intimidam os Céus. Líderes imorais nunca descarrilaram o plano.

Deus mantém sua promessa.

Veja você mesmo. Na manjedoura. Ele está lá.

Veja você mesmo. Na tumba. Ele ressuscitou.

CAPÍTULO VINTE E UM

Hábitos Saudáveis

Gosto da história do pequeno garoto que caiu da cama. Quando sua mãe perguntou-lhe o que havia acontecido, ele respondeu:

– Eu não sei. Acho que fiquei muito perto do lugar onde subi.

É fácil ocorrer o mesmo quanto à nossa fé. É tentador ficarmos apenas como chegamos e nunca nos movermos.

Voltemos a um passado não muito distante. Um ou dois anos atrás. Agora questione-se. Como sua atual vida de oração pode ser comparada à de então? E quanto à oferta? Será que a intensidade e a alegria aumentaram? Poderia citar sua lealdade à igreja? Pode afirmar que tem crescido? E o estudo bíblico? Tem aprendido a aprender?

> *Cresçamos* em tudo naquele que é a cabeça, Cristo (Ef 4.15, grifo meu).
>
> Pelo que deixando os rudimentos da doutrina de Cristo, prossigamos até a *perfeição* (Hb 6.1, grifo meu).
>
> Desejai afetuosamente, como meninos novamente nascidos, o leite racional, não falsificado, para que, por ele, vades crescendo (1 Pe 2.2, grifo meu).
>
> Antes, *crescei* na graça e conhecimento de nosso Senhor e Salvador Jesus Cristo (2 Pe 3.18, grifo meu).

Crescimento é o objetivo do cristão. Maturidade é um mandamento. Os pais ficam preocupados caso seu filho pare de se desenvolver, certo? Médicos são procurados e tem início uma bateria de testes. Quando o crescimento de uma criança é interrompido, algo está errado.

Quando um crente pára de crescer, é necessário ajudá-lo. Caso você seja o mesmo crente de alguns meses atrás, tome cuidado. Pode estar necessitando de um check-up. Não em seu corpo, mas no coração. Não físico, porém espiritual.

Permite-me dar um conselho?

Arriscando-me parecer um pregador – o que realmente sou – posso fazer uma sugestão? Por que você não checa seus hábitos? Embora existam diversos maus hábitos, há outros muito bons. De fato, posso citar quatro contidos na Bíblia. Faça deles atividades regulares, e veja o que acontece.

Primeiro, o hábito da oração: "Alegrai-vos na esperança, sede pacientes na tribulação, *perseverai* na oração" (Rm 12.12, grifo meu).

Você deseja saber como aprofundar-se em sua vida de oração? Ore. Não se prepare para orar. Apenas ore. Não leia sobre oração. Apenas ore. Não freqüente conferências nem se comprometa em discussões sobre oração. Apenas ore.

Postura, tom e local são problemas pessoais. Selecione a forma que dê certo para você, mas não pense muito sobre isto. Não fique preocupado em como embrulhar o presente que nunca deu. É melhor orar desajeitado do que não o fazer.

E, caso pense que deva orar somente quando estiver inspirado, tudo bem. Apenas procure inspirar-se diariamente.

Segundo, o hábito do estudo: "Aquele, porém, que atenta bem para a lei perfeita da liberdade e nisso persevera, não sendo ouvinte esquecido, mas fazedor da obra, este tal será bem-aventurado no seu feito" (Tg 1.25).

Imagine-se escolhendo seu pedido em um restaurante. Você pega a salada, escolhe a entrada e, ao aproximar-se dos vegetais, vê uma caçarola que lhe revira o estômago.

– Argh! O que é isso? – pergunta, apontando para ela.

– Oh, você não vai querer saber – responde o embaraçado garçom.

– Sim, eu quero.

– Bem, já que insiste, é uma caçarola de comida pré-mastigada.

– O quê?!

– Comida pré-mastigada. Algumas pessoas preferem engolir o que as outras já mastigaram.

Repulsivo? Pode apostar. Embora muito comum. Além do que se possa imaginar. Não com comida de restaurante, mas com a Palavra de Deus.

Alguns crentes sabem fazer-se compreender. Ouvem bem. Mas discernem pouco. Ficam satisfeitos ao engolir qualquer coisa que lhes for ensinada. Não admira que tenham parado de crescer.

Terceiro, o hábito da contribuição: "No *primeiro dia da semana*, cada um de vós ponha de parte o que puder ajuntar, conforme a sua prosperidade" (1 Co 16.2, grifo meu).

Você não contribui em benefício de Deus, e sim, para seu próprio. "Para que aprendas a temer ao Senhor, teu Deus, todos os dias" (Dt 14.23).

Qual a lição do dízimo? Considere o simples ato de preencher um cheque para a oferta.

Já de início enfrentamos o momento da verdade. O valor do cheque. Você é mais do que uma pessoa com um talão de cheques. É Davi colocando a pedra na funda. É Pedro, um pé no barco e outro na água. Quem sabe um garoto em meio a uma grande multidão. Um lanche é tudo que o Professor necessita, embora seja tudo que você possua.

O que fará então?

Atirará a pedra?

Dará o próximo passo?

Cederá o lanche?

Cuidado agora, não seja apressado. Não é apenas uma questão de escrever a soma... está sendo feita uma confissão. A confissão de que Deus é o verdadeiro dono de suas posses.

Você, então, coloca o cheque nominal a quem receberá a soma. Caso o banco considerasse, poderíamos escrever *Deus*. Mas como não o fazem, escreve-se o nome da igreja ou grupo digno de sua confiança.

Ao colocar a data, percebe que não é uma criatura imortal, e cada posse será algum dia queimada ou desgastada. Melhor é contribuir enquanto pode.

Para finalizar, preenche-se o canhoto. É difícil descrever. Certa quantia é destinada às contas e literaturas. Uma parte do excedente. Uma parte do salário.

Melhor ainda, é um pagamento parcial pelo que a igreja tem feito para ajudar sua família... estabelecer suas prioridades... harmonizá-lo com a presença divina.

Ou talvez – muito melhor – seja para você mesmo. Embora o donativo seja para Deus, o benefício é seu. É o momento de estreitar os vínculos para que, no momento de sua volta, você não fique de fora.

Por último, o hábito da confraternização: "E consideremo-nos uns aos outros, para nos estimularmos à caridade e às boas obras, não deixando a nossa congregação, como é *costume* de alguns; antes, admoestando-nos uns aos outros; e tanto mais quanto vedes que se vai aproximando aquele Dia" (Hb 10.24,25, grifo meu).

Estou escrevendo este capítulo em um sábado de manhã, na cidade de Boston. Vim para falar em uma conferência. Após finalizar minha participação, na noite passada, fiz algo muito espiritual: fui a um jogo de basquete do Boston Celtics. Não pude resistir. Boston Gardens é um estádio que desejava conhecer desde garoto. Além do mais, meu time favorito, San Antonio Spurs, estava jogando.

Ao tomar assento, ocorreu-me que eu poderia ser o único fã dos Spurs na multidão. Seria melhor ficar em silêncio. Mas foi muito difícil. Consegui conter-me apenas por alguns momentos. Logo eu fazia um solo de alegria a cada ponto que eles marcavam.

As pessoas começavam a olhar para trás. Aquela voz no silêncio desértico estava se arriscando.

Foi quando notei que tinha um companheiro na outra extremidade do banco. Ele também aplaudia os Spurs. Quando eu aplaudia, ele aplaudia. Descobri que tinha um parceiro. Apoiávamos um ao outro. Assim, pude sentir-me melhor.

No final do primeiro tempo, acenei para ele. Ele devolveu o cumprimento. Era apenas um adolescente. Não importava. Estávamos unidos pelos fortes laços do companheirismo.

Eis uma razão para a igreja. Durante toda a semana você fica incentivado pelo time visitante. Aplaude o sucesso daquEle a quem o mundo faz oposição. Você se levanta quando todos se sentam e senta-se quando todos se levantam.

Chega um momento em que é necessário apoio, amigos que aplaudam com você. Precisa do que a Bíblia chama de companheirismo. E isto é necessário semanalmente.

Aí estão. Quatro hábitos dignos de serem guardados. Não é bom saber que tais hábitos são bons para você? Faça-os parte do seu dia-a-dia, e cresça. Não cometa o mesmo engano do garoto. Não fique tão perto do local por onde entrou. É arriscado descansar na margem.

CAPÍTULO VINTE E DOIS

DFW e o Espírito Santo

O aeroporto internacional de Dallas-Fort Worth pode ser fatal. Ele não possui salões de espera – e sim catacumbas. Os corredores mais parecem labirintos.

Há histórias de pessoas que nunca mais saíram de lá.

Passageiros assíduos são facilmente distinguidos dos novatos. São aqueles com mochilas, bússolas, cantis e bordão. Os novatos ficam com aparência desfigurada, olhos fundos e olhar distante.

Uma de minhas primeiras visitas ao labirinto foi em uma viagem do Brasil para casa. Eu havia voado durante toda a noite e estava um pouco ansioso sobre as conexões que deveria fazer. Parei uma família de cinco pessoas e perguntei onde poderia conseguir informações. Os pais olharam para mim como se fossem os únicos sobreviventes em um desastre nuclear.

A mãe levantou três dedos e disse:

– Estamos há três dias aqui, e ainda não encontramos nosso vôo de conexão.

Engoli em seco. O pai perguntou se eu poderia dar-lhe cinco dólares para que pudessem comprar uma pizza para as crianças. Dei-lhe o dinheiro, e ele apontou-me o mapa do aeroporto.

O mapa era fácil de ser encontrado; cobria toda a parede. Ao encontrar a frase: "Você está aqui", comecei a procurar o portão do meu próximo vôo. Quando notei que estava no lado oposto do que seria o correto, engoli em seco novamente.

Porém não tive escolha. Tomei fôlego, segurei minha valise em uma das mãos, a mala de roupas na outra, e virei-me em direção ao portão 6.690.

O chão estava coberto de malas descartadas por peregrinos fatigados. Pessoas caíam à minha direita e à minha esquerda. Migrantes do aeroporto pairavam ao redor das fontes de água como se estivessem em um oásis. Viajantes lutavam por carrinhos de bagagem.

Comecei a duvidar se conseguiria. Após três horas de caminhada, meus joelhos começaram a doer. Cinco horas de jornada, e minhas mãos incharam com o peso da bagagem. Na sétima hora, comecei a ter alucinações, vendo o número de meu portão de embarque aparecer no horizonte e desaparecer como uma miragem à minha aproximação.

Perto da décima hora, eu havia descartado minha mala de roupas e ficara apenas com a valise. Estava prestes a me desfazer dela quando ouvi o tumulto.

Vinha do corredor à minha frente. Pessoas gritavam, outras corriam.

O que seria aquilo? O que poderia modificar a rota daqueles peregrinos desesperados? Que fatos poderiam fortalecer suas pernas exaustas? Um hotel? Um restaurante vazio? Um vôo disponível?

Não, era algo muito melhor. Ao virar a esquina pude ver. Meu rosto iluminou-se como em uma noite de rojões e fogos. Tirei a bandana da minha cabeça e enxuguei a testa. Endireitei as costas. Acelerei o passo. Minha cabeça girava. Agora eu sabia que conseguiria.

Ao longe, coberta de luzes e laminada em dourado estava uma esteira rolante.

A estrada de muro amarelo do aeroporto. É a ponte para cruzar o Jordão. É a descida da colina para os que disputam a maratona, o intervalo do jogo para o atleta, o contracheque do trabalhador. O último rascunho do escritor.

A esteira rolante, um atalho de descanso progressivo. Uma vez na esteira rolante, a pessoa não necessita andar, mas ainda se move! E, enquanto toma fôlego, ela carrega seu corpo.

Mas é também um atalho para múltiplos movimentos, pois quando você começa a andar sobre ela, cada passo é multiplicado. Ela duplica os nossos passos. O que levaria horas, dura minutos.

E, que diferença a esteira faz em sua atitude! Você realmente assovia enquanto anda. O cansaço é esquecido. Tropas de viajantes acenam umas para as outras.

E, mais importante, começa-se a crer novamente que o destino será alcançado.

Talvez eu tenha exagerado um pouco sobre o aeroporto.

Mas nunca exagero sobre o poder da descoberta de força para a jornada. O que descobri sobre o DFW você tem observado na vida. Não importa o quanto viaje, a jornada pode tornar-se cansativa. Não seria ótimo descobrir uma esteira rolante para o seu coração?

Aconteceu com Paulo. Bem, ele não descreveu com essas palavras. Mas, naquela época, não havia o DFW. Na verdade, ele afirmou existir um poder operando dentro do seu ser enquanto você trabalha: "A quem anunciamos, admoestando a todo homem e ensinando a todo homem em toda a sabedoria; para que apresentemos todo homem perfeito em Jesus Cristo; e para isto também trabalho, combatendo segundo a sua eficácia, que opera em mim poderosamente" (Cl 1.28,29).

Note o objetivo de Paulo: *apresentemos todo homem perfeito em Jesus Cristo.* Paulo sonhou com o dia em que cada pessoa seria salva em Jesus Cristo. Qual era seu método? *Aconselhamento e ensino.* As ferramentas de Paulo? Verbos. Nomes. Sentenças. Lições. Os mesmos equipamentos nossos. Não mudou muita coisa, mudou?

Era mais fácil naquela época do que é hoje? Não creio. Paulo o denominava trabalho. *E para isto também trabalho,* escreveu. Trabalho significa casas a serem visitadas, pessoas ensinadas e aulas preparadas.

Como ele fazia essas coisas? Qual era a sua fonte de forças? Paulo trabalhava *segundo a sua eficácia, que opera em mim poderosamente.*

Deus e Paulo trabalhavam ao mesmo tempo. Enquanto você trabalha, Deus também trabalha com você. Cada passo é multiplicado. Dividendos divinos são pagos. Como a esteira, Deus energiza nossos esforços. E, mesmo quando estamos muito cansados para andar, ele assegura que estejamos prosseguindo.

Assim, da próxima vez em que for preciso parar para descansar, vá em frente. Ele manterá sua vida na direção correta. E, na próxima vez em que fizer progressos – agradeça a Deus. Ele é o provedor do poder.

E da próxima vez em que pensar em desistir? Não o faça, por favor, não o faça! Vire na próxima esquina. Você poderá surpreender-se com o que encontrar.

Além do mais, há um vôo para o lar que você não quer perder.

CAPÍTULO VINTE E TRÊS

O Deus que Batalha em Seu Favor

Eis uma grande questão. Onde está Deus quando enfrentamos dificuldades? Quando o barco salva-vidas está furado? Quando a corda arrebenta? Quando acaba o dinheiro antes da última dívida ser paga? Quando a esperança que restou é deixada no último trem? O que Deus está fazendo?

Sei o que nós estamos fazendo. Roendo as unhas até o sabugo. Andando de um lado para outro. Tomando pílulas calmantes.

Mas o que Deus faz? Boa pergunta. Realmente boa. Se Ele estiver dormindo, dando risadas ou de braços cruzados e balançando a cabeça, estou perdido.

O que Deus está fazendo?

Bem, decidi pesquisar sobre a questão. Astuto pesquisador como sou, descobri algumas antigas escrituras que talvez possam responder a questão. Poucas pessoas – quase ninguém, na verdade – estão cientes de que o noticiário via jornal viaja pelas terras desde a era do Antigo Testamento.

E, é fato que nos tempos de Noé, Abraão e Moisés, repórteres já se faziam presentes rapidamente às cenas para relatar o drama daqueles dias. E agora, pela primeira vez, seus artigos podem ser compartilhados.

– Como você chegou a eles? – poderia alguém questionar.

Bem, descobri-os impressos nas páginas de uma revista de bordo em um vôo partindo de Sheboygan, Wisconsin. Posso apenas supor que algum arqueólogo corajoso os tenha escondido, para proteger a si mesmo do perigo iminente dos espias malignos. Nunca saberemos se ele sobreviveu, porém sabemos o que descobriu – jornais antigos que continham entrevistas com Moisés e Josafá.

Então, como um brinde à sua coragem e fome pela verdade, orgulhosamente compartilharei com você diálogos até agora ocultos entre dois homens que responderão à pergunta: Onde está Deus quando estamos sem saída?

A primeira entrevista é entre o *Jornal Terra Santa* (JTS) e Moisés.

JTS: Fale-nos de seu conflito com os egípcios.

MOISÉS: Oh, os egípcios! Grande povo. Fortes guerreiros. Astutos como serpentes.

JTS: Mas você fugiu.

MOISÉS: Não antes de eles terem sido afogados.

JTS: Você está se referindo ao conflito no mar Vermelho.

MOISÉS: É isto mesmo. Aquilo foi assustador.

JTS: Conte-nos o que aconteceu.

MOISÉS: Bem, o mar Vermelho estava de um lado e os egípcios do outro.

JTS: Vocês então atacaram?

MOISÉS: Está brincando? Com meio milhão de amontoadores de pedras? Não, meu povo estava atemorizado. Eles queriam voltar para o Egito.

JTS: Então, você mandou que todos batessem em retirada?

MOISÉS: Para onde? Para a água? Não tínhamos barcos. Não tínhamos para onde fugir.

JTS: Quais foram as recomendações de seus líderes?

MOISÉS: Não perguntei a eles. Não havia tempo.

JTS: O que você fez então?

MOISÉS: Disse ao povo que agüentasse firme.

JTS: Quer dizer, com o inimigo chegando, disse-lhes para não se moverem?

MOISÉS: Sim. Falei ao povo: "Fiquem firmes e verão que o Senhor os salvará".

JTS: Por que você não queria que o povo tomasse alguma atitude?

MOISÉS: Para não atrapalhar o trabalho de Deus. Quando não sabemos o que fazer, é melhor permanecermos quietos até que Ele tome uma providência.

JTS: É uma estranha estratégia, não acha?

MOISÉS: Sim, caso você seja grande o bastante para a batalha. Mas quando a batalha é maior e queremos que Deus tome conta da situação, é tudo que podemos fazer.

JTS: Podemos falar sobre outro assunto?

MOISÉS: É o seu jornal.

JTS: Logo após seu escape...

MOISÉS: Nosso livramento.

JTS: Qual a diferença?

MOISÉS: Há uma grande diferença. Quando você escapa, *você* faz isto. Ao receber um livramento, há outra pessoa que realiza e você apenas executa.

JTS: Certo. Logo após seu livramento você batalhou contra os amalo... amala... vejamos, tenho aqui...

MOISÉS: Os amalequitas.

JTS: Sim, os amalequitas.

MOISÉS: Grande povo. Fortes guerreiros. Astutos como serpentes.

JTS: Mas vocês venceram.

MOISÉS: Deus venceu.

JTS: Certo. Deus venceu, mas o trabalho foi de vocês, pois lutaram, estavam no campo.

MOISÉS: Errado.

JTS: O quê? Você não estava no campo batalhando?

MOISÉS: Não naquele. Enquanto o exército lutava, levei meus amigos Ur e Arão até o topo da montanha, e travamos nossa batalha lá em cima.

JTS: Uns contra os outros?

MOISÉS: Contra as trevas.

JTS: Com espadas?

MOISÉS: Não, em oração. Apenas levantei minhas mãos para Deus, como havia feito no mar Vermelho, porém desta vez esqueci meu cajado. Quando levantava meus braços, vencíamos, mas ao abaixá-los começávamos a perder. Então, pedi que meus amigos segurassem meus braços até que os amalequitas fossem vencidos por nós.

JTS: Espere um momento! Você acha que o fato de ter ficado na montanha com os braços elevados fez alguma diferença?

MOISÉS: Você não está vendo nenhum amalequita por aqui, está?

JTS: Não acha estranho que o general do exército fique na montanha enquanto os soldados lutam no vale?

MOISÉS: Se a batalha estivesse sendo travada no vale, lá eu teria ficado, mas aquele não era o local onde ela estava sendo travada.

JTS: Estranha esta sua estratégia.

MOISÉS: Caso seu pai fosse maior que seu oponente, você não o chamaria?

JTS: O quê?

MOISÉS: Se alguém se arremete contra uma pessoa, e o pai dela, que está próximo, diz que pode ser chamado em qualquer momento de necessidade, o que ela fará?

JTS: Certamente, chamará seu pai.

MOISÉS: É o que costumo fazer. Quando a batalha é muito grande, peço a Deus que tome à frente. Peço que o Pai venha e lute por mim.

JTS: E Ele vem?

Moisés: Você tem visto algum judeu construindo pirâmides ultimamente?

JTS: Vejamos se entendi direito. Você derrotou o inimigo uma vez, apenas ficando firme e, em outra ocasião, venceu a batalha levantando os braços? De onde você tirou essas idéias?

Moisés: Bem, se eu contar, você não acreditará.

JTS: Tente.

Moisés: Bem, certo dia uma sarça ardente falou comigo...

JTS: Acho que você está certo. Vamos guardar esta para um outro dia.

A segunda entrevista adianta-nos alguns séculos na História. Eis o rei Josafá em uma entrevista pós-guerra para *Crônica de Jerusalém* (CJ) no campo de batalha de Ziz.

CJ: Parabéns, rei.

Josafá: Pelo quê?

CJ: O senhor acabou de derrotar três exércitos de uma só vez. Derrotou os moabitas, amonitas e os das montanhas de Seir.

Josafá: Oh, não fui eu quem fez isto.

CJ: Não seja modesto. Conte-nos sua opinião sobre esses exércitos.

Josafá: Grande povo. Fortes guerreiros. Astutos como serpentes.

CJ: Como o senhor se sentiu ao saber que eles se aproximavam?

Josafá: Fiquei com medo.

CJ: Mas agiu com muita calma. Essa estratégia organizada com seus generais deve tê-los derrotado.

Josafá: Nós não tínhamos nenhuma estratégia.

CJ: Vocês não se reuniram nem montaram estratégias?

Josafá: Não.

CJ: O que fizeram?

JOSAFÁ: Perguntei a Deus o que fazer.

CJ: E o que Ele disse?

JOSAFÁ: A princípio nada, então chamei algumas pessoas para unirem-se a mim e falar com Ele.

CJ: Houve uma sessão de oração em seu gabinete?

JOSAFÁ: Não, minha nação jejuou.

CJ: Toda a nação?

JOSAFÁ: Todos menos você, aparentemente.

CJ: Hum... Bem, o que vocês disseram a Deus?

JOSAFÁ: Bem, declaramos que Ele era o Rei, e qualquer que fosse sua vontade estaria bem para nós, mas caso não se importasse, gostaríamos do seu auxílio naquele grande problema.

CJ: *Foi então* que surgiu sua estratégia.

JOSAFÁ: Não.

CJ: O que vocês fizeram?

JOSAFÁ: Colocamo-nos diante de Deus.

CJ: Quem?

JOSAFÁ: Todos nós. Homens, mulheres, crianças. Apenas ficamos lá e aguardamos.

CJ: O que fazia o inimigo enquanto vocês esperavam?

JOSAFÁ: Eles se aproximavam.

CJ: Foi quando você reuniu o povo?

JOSAFÁ: Quem disse que eu reuni o povo?

CJ: Bem, presumi...

JOSAFÁ: Eu nunca disse coisa alguma para o povo. Apenas ouvi. Após algum tempo, esse jovem companheiro chamado Jaaziel disse que o Senhor mandou não temermos, pois a batalha não era nossa, e sim dEle.

CJ: Como você pôde ter certeza de que esta mensagem vinha realmente da parte de Deus?

JOSAFÁ: Quando alguém passa tanto tempo quanto eu falando com Deus, aprende a reconhecer sua voz.

CJ: Incrível.

JOSAFÁ: Não, sobrenatural.

CJ: Vocês, então, atacaram?

JOSAFÁ: Não, Jaaziel disse: "Não temais, nem vos assusteis por causa desta grande multidão, pois a peleja não é vossa, senão de Deus".

CJ: Já ouvi isto em algum lugar.

JOSAFÁ: Já dizia Moisés.

CJ: Vocês então atacaram?

JOSAFÁ: Não, cantamos. Bem, alguns cantaram. Como não sou muito afinado, prostrei-me sobre meu rosto e orei. Deixei que os outros cantassem. Temos este grupo – os levitas – que realmente sabem cantar.

CJ: Espere um momento. Com a aproximação do exército vocês cantavam?

JOSAFÁ: Algumas melodias. Então, eu disse ao povo que fosse forte, tivesse fé em Deus, e marchamos para o campo de batalha.

CJ: Você liderou o exército?

JOSAFÁ: Não. Colocamos os cantores à frente. Então, enquanto marchávamos, eles cantavam. Enquanto cantavam, Deus enviava as emboscadas. No momento em que chegamos ao campo de batalha, o inimigo estava morto. Isso ocorreu há três dias. Demoramos todo esse tempo para limpar a área. Voltamos hoje para fazer um outro culto de adoração. Venha até aqui; quero que você ouça os levitas cantarem. Aposto dez siclos como você não consegue ficar sentado durante cinco minutos.

CJ: Espere. Não posso escrever esta história. É muito bizarra. Quem acreditaria?

JOSAFÁ: Apenas escreva. Aqueles com pequenos problemas rirão. Os que enfrentam problemas de grandes dimensões orarão a

Deus. Deixe-os decidir. Venha, os músicos estão afinando os instrumentos. Você não gostaria de perder a primeira parte.

Então, o que acha? O que Deus faz quando estamos sem saída? Se Moisés e Josafá dão alguma pista, esta questão pode ser respondida com uma única palavra: *batalha.* Ele batalha por nós. Ele pisa no ringue, nos direciona e assume o controle: "O Senhor pelejará por vós, e vos calareis" (Êx 14.14).

Seu trabalho é lutar. O nosso é confiar.

Apenas confiar. Não administrar. Ou questionar. Ou tirar o volante das mãos dEle. Nosso trabalho é orar e aguardar. Nada mais é necessário. "Só ele é a minha rocha e a minha salvação; é a minha defesa; não serei abalado" (Sl 62.6).

A propósito, aconteceu só comigo, ou detectei algumas risadinhas quando anunciei minha descoberta arqueológica?

Alguns de vocês não acreditaram em mim, certo? Ah, ah! ah! Só por isso terão de aguardar o próximo livro para que eu conte sobre o diário de Jonas que encontrei em um sebo na cidade de Wink, Texas. Existem ainda algumas tripas de baleia nele.

E você pensou que eu estivesse brincando.

Terceira Parte

O Convidado do Maestro

O que acontece quando um cachorro interrompe um concerto? A fim de conhecer a resposta, acompanhe-me à Lawrence, Kansas, em uma noite primaveril.

Tome assento no Hoch Auditorium e contemple a Leipzig Gewandhaus – a mais antiga orquestra operante do mundo. Os maiores compositores e regentes da História a dirigiram. Ela tocou na época de Beethoven (alguns músicos foram substituídos).

Você assiste enquanto europeus imponentemente vestidos tomam assento no teatro. Você presta atenção enquanto os músicos afinam seus instrumentos. A percussionista presta atenção ao seu tímpano. O violinista estica a corda de nylon. O clarinetista aperta a palheta. E você endireita seu corpo com o apagar das luzes e o cessar do som. A música está para começar.

O maestro, vestido de fraque, adentra o palco, posiciona-se na plataforma e gesticula para que a orquestra se levante. Você e outras duas mil pessoas aplaudem. Os músicos tomam seus assentos, o maestro prepara-se e o auditório prende a respiração.

Há um segundo de silêncio entre o relâmpago e o trovão, assim como entre a elevação do bastão e a explosão da música. Porém, quando esta tem início, os céus se abrem e você se deleita na chuva da Terceira Sinfonia de Beethoven.

Grande foi o poder daquela quente noite primaveril em Lawrence, Kansas. Menciono a temperatura para que possa compreender por que as portas estavam abertas. Fazia calor. O Hoch Auditorium, um prédio histórico, não possuía ar condicionado. Combinando luzes brilhantes no palco com vestuário formal e música furiosa, teremos como resultado uma orquestra inflamada. Todas as portas externas do teatro estavam abertas, caso houvesse uma brisa.

Entra no teatro um cachorro. Daqueles comuns, vira-lata. Não um cachorro louco, apenas curioso. Ele passa entre os baixos e faz seu caminho pelos segundos violinos e violoncelos. Seu rabo sacode com o ritmo da música. Ao passar pelos músicos, eles o olham, entreolham-se e continuam a tocar.

O cachorro dá preferência a um certo violoncelo. Talvez pela passagem lateral do arco. Quem sabe pela elevada visão das cordas. Por qualquer motivo, o instrumento chamou a atenção do cachorro, que parou para assisti-lo. O violoncelista não sabia o que fazer, pois nunca havia tocado para uma platéia canina. Além do mais, as escolas de música não ensinam o que a saliva canina pode provocar no verniz de um violoncelo Garneri do século XVI. O cachorro nada fez além de assistir por um momento e continuar sua caminhada. Mesmo com o visitante passeando no meio da orquestra, ela precisava continuar. O cão fez seu percurso, e a platéia não teria notado, senão por um único motivo. Ele não saiu. Apenas permaneceu na casa do esplêndor, perambulando entre a campina musical.

Visitou os instrumentos de sopro, olhou para os trumpetes, andou entre os flautistas e parou ao lado do maestro. E a Terceira Sinfonia de Beethoven desfez-se.

Os músicos riram. O auditório riu. O cachorro olhou para o maestro e permaneceu imóvel. Este, então, abaixou a batuta.

A orquestra mais histórica do mundo. Uma das mais comoventes peças já escritas. A gloriosa noite interrompida por um vira-lata.

As risadas cessaram com o movimento do maestro. Que fúria poderia emergir? O auditório ficou em profundo silêncio enquanto o regente os olhava. O que aconteceria? O educado maestro alemão olhou para a multidão, então para o cachorro, de volta para a multidão, levantou suas mãos em um gesto universal e... encolheu os ombros.

O bramido foi geral.

Ele desceu do palanque e acariciou o cachorro por trás das orelhas. O rabo balançou novamente. O maestro falou com o cachorro. Falou em alemão, mas este parecia compreender. Os dois conversaram durante algum tempo antes de o maestro tomar seu amigo pela coleira e tirá-lo do palco. Você pensaria que o cachorro era Pavarotti, pela maneira como foi aplaudido. O condutor retornou, a música teve início e Beethoven não foi ofuscado por todo o acontecimento.

Você consegue identificar-se nesta descrição?

Eu sim. Denominemo-nos Fido. Consideremos Deus o maestro.

Visualizemos o momento em que andaremos em seu palco. Não merecemos. Poderemos até surpreender os músicos com nossa presença.

A melodia será completamente inédita para nós. Passearemos entre os anjos e os ouviremos cantar. Ficaremos pasmados com as luzes celestiais e atônitos com seu brilho. Então nos aproximaremos do maestro, ficaremos ao seu lado e o adoraremos enquanto Ele rege.

Estes capítulos finais fazem-nos pensar neste momento. Eles nos levam a ver o invisível e ansiar aquele momento. Convidam-nos a afinar nossos ouvidos para a música dos céus e ansiar – ansiar pelo momento em que estaremos ao lado do Maestro.

Ele também nos receberá com prazer e falará conosco. Porém, não nos mandará embora. Nos convidará a permanecer eternamente como seus convidados no palco.

CAPÍTULO VINTE E QUATRO

O Dom da Infelicidade

Ele reside dentro de você, no profundo. Um minúsculo curiango. Preste atenção. Você o ouvirá cantar. Sua modinha pranteia no crepúsculo. Seu solo sinaliza a alvorada.

É o canto do curiango, uma ave noturna da família dos caprimulgídeos.

Ele não silenciará até o raiar do sol.

Esquecemos sua presença pela grande facilidade de ser ignorado. Outros animais do coração são maiores, mais barulhentos, exigentes e imponentes.

Porém, nenhum é tão constante.

Outras criaturas da alma são satisfeitas de maneira mais rápida e simplificada. Alimentamos o leão que ruge pelo poder. Atingimos o tigre que exige afeição. Controlamos o garanhão que pinoteia.

Contudo, qual a nossa atitude com relação ao curiango que anseia pela eternidade?

Eis o motivo de sua força. Esta é sua tarefa. Entoar uma dourada canção em meio à escuridão. Empoleirado, gorjeia um verso eterno. Perscrutando a dor encoberta, ele avista um simples local, e para este canta.

E, embora tentemos ignorá-lo, não podemos. Ele é nosso. A música de nosso coração não será silenciada até que avistemos a alvorada.

"Tudo fez formoso em seu tempo: também pôs o mundo no coração deles, sem que o homem possa descobrir a obra que Deus fez desde o princípio até ao fim" (Ec 3.10), diz o sábio homem. Entretanto, isto não faz com que o sábio conheça a pessoa que anseia por mais do que a terra. Sentimos pena ao vermos a dor. Questionamos ao presenciar a fome. Mortes insensatas. Lágrimas infindáveis. Mortes desnecessárias. De onde provêm? Para onde conduzem?

Não há mais coisas para a vida do que a morte?

Assim canta o curiango.

Tentamos calar esta terrível e minúscula voz. Como um pai silenciando seu filho, colocamos o dedo sobre os lábios franzidos e requeremos silêncio. *No momento, estou ocupado para conversar. Extremamente ocupado para pensar. Muito ocupado para questionar.*

E ocupamo-nos sobremaneira com a tarefa de permanecer ocupados.

Mas, ocasionalmente, ouvimos essa canção. E, ocasionalmente, deixamos que ela sussurre em nossos ouvidos que há algo mais. *Precisa* haver algo mais.

Quando ouvimos a melodia, somos confortados. Ao nos sentirmos descontentes, vamos à sua procura. Enquanto soubermos que existe uma terra longínqua, teremos esperança.

Percebi que a última desgraça possível a nos atingir é sentirmo-nos em casa nesta terra. Uma vez que somos forasteiros, não podemos esquecer de nossa verdadeira pátria.

A infelicidade na terra cultiva o anseio pelo Céu. Agraciando-nos com um profundo descontentamento, Deus detém nossa atenção. Desta forma, a única tragédia é ficarmos satisfeitos prematuramente. Apegar-nos à terra. Ficarmos contentes em uma terra estranha. Unirmo-nos em casamento com os babilônios e esquecermos Jerusalém.

Não estamos contentes aqui, pois este não é o nosso lar. Não estamos alegres aqui pois isto não é para acontecer. Somos "como peregrinos e forasteiros" neste mundo (1 Pe 2.11).

Pegue um peixe e coloque-o na praia. Assista suas guelras ofegarem e as escamas secarem. Ele está feliz? Não! Como podemos alegrá-lo? Cobrindo-o com uma montanha de dinheiro? Dando-lhe uma cadeira de praia e um guarda-sol? Trazendo-lhe uma bebida refrescante?

É claro que não! Então, como podemos alegrá-lo? Colocando-o em seu habitat natural. Devolvendo-o à água. Ele nunca ficará contente na praia, simplesmente porque não foi feito para ela.

E você nunca ficará completamente alegre na terra, pelo simples fato de que não foi feito para ela. Oh, terá sim, seus momentos de alegria e prazer. Conhecerá momentos, até mesmo dias de paz. Mas eles não se comparam com a alegria vindoura.

O Senhor fez-nos para si mesmo, e nossos corações anelam descansar nEle.

O descanso neste mundo não é verdadeiro. Guarde-se daqueles que tentam induzi-lo a encontrar alegrias aqui; isto não é possível. Cuidado com os falsos médicos que prometem alegria através de um regime, casamento, emprego ou transferência. O profeta denunciou pessoas como estas: "E curam a ferida da filha do meu povo levianamente, dizendo: Paz, paz; quando não há paz" (Jr 6.14).

E não haverá paz até que cheguemos ao lar.

Novamente, temos nossos momentos. O recém-nascido em nosso peito, a noiva em nossos braços, o sol em nossas costas. Porém, até mesmo esses momentos são simples focos de luz que transpassam as janelas dos céus. Deus flerta conosco. Ele nos namora. Tais momentos são apenas aperitivos para o banquete vindouro.

"As coisas que o olho não viu, e o ouvido não ouviu, e não subiram ao coração do homem são as que Deus preparou para os que o amam" (1 Co 2.9).

Que versículo maravilhoso! Você leu atentamente? *O Céu está além da nossa imaginação.* Não podemos imaginá-lo. Em nosso momento mais criativo, no pensamento mais profundo ou enlevado, ainda somos incapazes de figurar a eternidade.

Tente. Imagine um mundo perfeito. Como quer que lhe pareça, imagine-o. Ele significa paz? Então, pense em absoluta tranqüilidade. Um mundo perfeito envolve alegria? Crie suas maiores alegrias. O mundo perfeito possuirá amor? Delibere um local onde o amor não possua limites. Faça seu próprio quadro do significado do Céu para você. Deleite-se nele. Sonhe com ele. Anseie por ele.

Então, sorria quando nosso Pai relembrá-lo: *As coisas que o olho não viu, e o ouvido não ouviu, e não subiram ao coração do homem são as que Deus preparou para os que o amam.*

Qualquer coisa que imagine será inadequado. Ninguém conseguiu vislumbrar sequer algo parecido. Nenhuma pessoa. Pense em todas as canções sobre os Céus. Todos os quadros dos artistas. Todas as lições pregadas, poemas escritos e capítulos esboçados.

Quando a questão é descrever o Céu, somos todos felizes ineficientes.

Está além de nós.

Porém, está dentro de nós. O canto do curiango. Deixe que ele cante. Deixe que cante no escuro. Deixe que cante na alvorada. Permita que sua melodia o lembre de que você não foi feito para este lugar e que há um outro local feito justamente para você.

Mas até lá, seja realista. Diminua suas expectativas aqui na Terra. Aqui não é o Céu. Assim, não espere que o seja. Nunca haverá um noticiário sem más notícias. Nunca haverá uma igreja sem fofocas ou competições. Jamais um novo carro, uma nova vida ou um novo bebê poderão dar-lhe a alegria almejada. Apenas Deus pode fazer isto.

E Ele o fará. Seja paciente. Fique atento. Atento ao canto do curiango.

CAPÍTULO VINTE E CINCO

Perseverando no Caminho de Deus

Uma de minhas lembranças favoritas de infância era o momento em que meu pai chegava em casa.

Minha mãe, que trabalhava no turno da noite no hospital, saía por volta das três horas da tarde. Papai chegava às três e meia. Meu irmão e eu ficávamos sozinhos durante meia hora com a severa instrução para que não saíssemos de casa até a vinda de papai.

Sentávamos no sofá e assistíamos desenhos animados, sempre com um ouvido atento à rua. Até mesmo o melhor desenho era abandonado quando ouvíamos o barulho do carro.

Posso recordar minhas corridas para encontrar papai e me jogar em seus grandes (e, freqüentemente, suados) braços. Enquanto me carregava para dentro de casa, ele colocava seu grande chapéu de palha em minha cabeça, e, por um momento, eu sentia-me um cowboy. Sentávamos no alpendre enquanto ele tirava as botas sujas de óleo (nunca permitidas dentro de casa). Logo eu as calçava e novamente imaginava-me um vaqueiro. Então, entrávamos e abríamos sua lancheira. Qualquer bolacha restante, o que parecia sempre acontecer, era dividida entre meu irmão e eu.

Era maravilhoso. Botas, chapéus e bolachas. O que mais poderia desejar um garoto de cinco anos?

Entretanto, era tudo que eu tinha. Suponha que meu pai, ao invés de vir para casa, apenas mandasse algumas coisas. Botas para eu me divertir calçando. Um chapéu para colocar. Bolachas para beliscar.

Seria suficiente? Talvez sim, mas não por muito tempo. Logo os presentes perderiam o charme. Logo, senão imediatamente, eu perguntaria:

– Onde está o papai?

Façamos outra consideração. Suponhamos que ele telefonasse e dissesse:

– Max, não voltarei mais para casa. Porém, mandarei minhas botas e o chapéu, e todas as tardes você poderá brincar com eles.

De jeito nenhum. Não daria certo. Mesmo uma criança de cinco anos sabe que é a pessoa, e não o presente, que torna a reunião especial. Não são os ornamentos, mas o pai.

Imagine Deus fazendo-nos uma oferta similar:

Darei a vocês tudo que desejarem. Qualquer coisa. Amor perfeito. Paz eterna. Nunca sentirão solidão ou medo. Suas mentes não ficarão confusas. Seus corações não sofrerão aborrecimentos ou ansiedade. Jamais lhes faltará coisa alguma. Não haverá pecado, culpa ou regras. Nenhuma expectativa ou falha. Vocês nunca estarão sozinhos, tampouco sofrerão ferimentos. Jamais morrerão.

Apenas nunca verão a minha face.

Você aceitaria? Tampouco eu. Não é o suficiente. Quem anseia um Céu sem Deus? O Céu não é Céu sem Deus.

Uma eternidade sem dor ou morte seria ótimo, porém inadequada. Um mundo esplendoroso nos atordoaria, mas não é o que buscamos. Nosso anseio é por Deus. Queremos Deus mais do que pensamos. Não que as alegrias sejam pouco atrativas. No entanto, não são suficientes. É justamente o que somos em suas mãos. Agostinho estava certo – nossos corações estarão impacientes até descansarem nEle.

Estaremos satisfeitos apenas quando encontrarmos com Ele. Moisés pode falar sobre o assunto.

Ele teve a maior porção de Deus que qualquer outro homem na Bíblia. Deus falou com ele através de uma sarça. Guiou-o com fogo. Maravilhou-o com as pragas. Então, enfureceu-se com os israelitas e afastou-se deles. Porém, ficou perto de Moisés "e falava o Senhor a Moisés face a face, como qualquer fala com o seu amigo" (Êx 33.11). Moisés conheceu a Deus como nenhum outro homem.

Porém, não foi o suficiente. Moisés desejava mais. Ele almejava ver Deus e ousou dizer: "Rogo-te que me mostres a tua glória" (Êx 33.18).

O chapéu e a bolacha não eram suficientes. A coluna de fogo e o maná do céu não eram suficientes. Moisés queria ver Deus em pessoa.

Não queremos o mesmo?

Não é este o motivo de ansiarmos pelo Céu? Podemos falar sobre o local onde não há lágrimas, morte, medo ou noite, mas estes são apenas benefícios do Céu. A beleza celestial está no fato de ver Deus. O Céu é o coração de Deus.

Nossos corações estarão em completa paz somente quando contemplarmos sua face: "Quanto a mim, contemplarei a tua face na justiça; eu me satisfarei da tua semelhança quando acordar" (Sl 17.15).

Satisfeitos? Eis como não estamos.

Em comemorações como o Natal, afastamo-nos de nossas mesas, alisamos a barriga e dizemos:

– Estou satisfeito.

Contudo, basta olharmos para nós mesmos após algumas horas, de volta à cozinha, beliscando as sobras do banquete.

Acordamos após uma boa noite de descanso e pulamos da cama. Não conseguiríamos voltar e dormir novamente, mesmo se alguém nos pagasse para tal. Estamos satisfeitos – por enquanto. Mas observemos nossa sensação dez horas mais tarde, aninhando-nos novamente debaixo das cobertas.

Tiramos as férias tão sonhadas. Planejadas durante anos. Passamos anos economizando. E eis-nos a caminho. Fartamo-nos com o sol, alegrias, bons amigos e boa comida. Mas nem bem estamos a caminho de casa, após o maravilhoso divertimento, e já começamos a planejar o próximo passeio.

Não estamos satisfeitos.

Quando crianças dizemos:

– Ah, se eu fosse um adolescente!

Quando adolescentes lamentamos:

– Quem dera eu fosse um adulto!

Como adultos:

– Gostaria de estar casado.

Já casados:

– Se tivéssemos filhos!

Na condição de pais:

– Ah, se meus filhos fossem grandinhos!

Com a casa vazia:

– Se ao menos as crianças nos visitassem!

Aposentados, descansando em cadeiras de balanço, com olhar sonhador:

– Se eu pudesse voltar a ser criança!

Não estamos satisfeitos. Contentamento é uma difícil virtude. Por quê?

Pois não há nada na terra que possa satisfazer nossos mais profundos desejos. Ansiamos ver Deus. As despedidas da vida estão sussurrando com rumores de que isto acontecerá – e não estaremos satisfeitos até que o façamos.

Não podemos estar satisfeitos. Isto não nos classifica como gananciosos, e sim famintos por algo não existente nesta terra. Apenas Deus pode satisfazer. Filipe estava certo quando pediu: "Senhor, mostra-nos o Pai, o que nos basta" (Jo 14.8).

Eis a causa do problema: "Não poderás ver a minha face", disse Deus a Moisés, "porquanto homem nenhum verá a minha face e viverá" (Êx 33.20).

Hasids, no século XVIII, compreendia o risco de ver Deus. O rabino Uri chorava a cada manhã quando saía de casa para orar. Ele chamava os seus filhos e a esposa para perto de si e chorava como se nunca mais fosse vê-los. Quando perguntei a razão, ele respondeu:

– Ao iniciar minhas orações, clamo ao Senhor. Então oro: "Senhor, tenha misericórdia de nós". Quem sabe o que o poder do Senhor pode fazer comigo após tê-lo invocado e implorado misericórdia?

De acordo com a lenda, o primeiro índio americano a ver o Grand Canyon amarrou-se em uma árvore, aterrorizado. De acordo com as Escrituras, qualquer homem agraciado pela visão da Pessoa de Deus sente-se da mesma maneira.

Completamente aterrorizado. Lembra-se das palavras de Isaías após sua visão de Deus? "Ai de mim que vou perecendo! Porque sou um homem de lábios impuros e habito no meio de um povo de impuros lábios; e os meus olhos viram o rei, o Senhor dos Exércitos!" (Is 6.5).

Pelo fato de ter visto Deus, Isaías ficou aterrorizado. Por que tanto medo? Qual o motivo de tal tremor? Pois ele era a cera diante do sol. A vela no furacão. Um peixinho nas grandes cachoeiras. A glória de Deus era muito grande. Sua pureza, genuína. Seu poder, majestoso.

A santidade de Deus ilumina o pecado do homem.

Para melhor compreensão, vamos imaginar que estamos em um teatro. Você nunca visitou um deles antes, e está curioso. Dá uma volta pelos bastidores, olha as luzes, brinca com as cortinas e examina as pilastras. Então observa um vestiário.

Entra e senta-se em uma mesa. Olha para o grande espelho na parede. Vê o que é de costume ao olhar seu reflexo. Sem surpresas. Então, você nota que o espelho é rodeado por holofotes. Há um interruptor na parede e você o liga.

Dezenas de luzes iluminam sua face. De repente nota algo nunca visto. Manchas, rugas. Todas as verrugas e marcas são realçadas. A luz iluminou suas imperfeições.

Foi o que aconteceu com Isaías. Quando viu Deus, não suspirou admirado. Não aplaudiu em apreciação. Apenas retraiu-se aterrorizado e lamentando:

– Sou impuro, e meu povo é impuro!

A santidade de Deus realça nossos pecados.

Ouça as palavras de outro profeta: "Eis que vem com as nuvens, e todo olho o verá, até os mesmos que o traspassaram; e todas as tribos da terra se lamentarão sobre ele. Sim! Amém!" (Ap 1.17).

A santidade de Deus realça o pecado do homem.

Então, o que fazer? Se é verdade que devemos seguir "a paz com todos e a santificação, sem a qual ninguém verá o Senhor" (Hb 12.14), que direção deve ser tomada?

Não podemos apagar a luz. Não podemos retornar à penumbra. Assim será muito tarde.

Então, o que devemos fazer?

A resposta está contida na história de Moisés. Leia com muito cuidado os versículos a seguir. Leia a fim de responder esta questão: o que fez Moisés para ver Deus? Leia calmamente as palavras proferidas por Deus.

Disse mais o Senhor: Eis aqui um lugar junto a mim; ali te porás sobre a penha. E acontecerá que, quando a minha glória passar, te porei numa fenda da penha e te cobrirei com a minha mão, até que eu haja passado. E, havendo eu tirado a minha mão, me verás pelas costas; mas a minha face não se verá (Êx 33.21-23).

Percebeu o que Moisés precisou fazer? Nem eu. Você notou quem realizou todo o trabalho? Eu também.

Deus o fez! Deus é ativo. Deus designou o local onde Moisés deveria ficar. Deus posicionou Moisés na fenda. Deus o cobriu com sua mão. Deus passou. E Deus revelou a si mesmo.

Por favor, focalize o ponto. Deus equipou Moisés para que pudesse apenas dar uma olhada nEle.

(Grande Moisés!)

Tudo que Moisés fez foi pedir. Mas vejam como ele pediu.

Tudo que necessitamos fazer é pedir. Mas vejam, precisamos pedir.

Somente pedindo podemos receber. Só podemos encontrar se procurarmos.

E (preciso fazer a aplicação?) Deus é aquEle que nos equipará para nosso momento eterno com seu Filho. Ele já não nos deu a Rocha, o Senhor Jesus? Já não nos colocou na fenda, sua graça? Já não nos cobriu com sua mão perfurada?

E, o Pai não está a caminho para nos buscar?

Assim como meu pai chegava na hora certa, Deus virá. E, assim como meu pai trazia presentes e agrados, assim fará o seu. Entretanto, por mais esplêndidos que possam ser os presentes do Céu, não é por eles que esperamos.

Aguardamos para ver o Pai. E isto será suficiente.

CAPÍTULO VINTE E SEIS

Órfãos no Portão

Aconteceu um fato triste esta semana. Uma história sobre um desastre de lua-de-mel. Os recém-casados chegaram ao hotel com grandes expectativas. Haviam reservado uma grande suíte com românticos deleites. Porém, não foi o que encontraram.

O quarto era bem pequeno. A minúscula suíte não tinha vista ou flores, o banheiro era restrito e pior de tudo – não havia cama. Apenas um sofá-cama com um colchão granuloso e molas afundadas. Não foi o que esperavam; conseqüentemente, a noite também não.

Na manhã seguinte o noivo, de pescoço dolorido, foi até a mesa do gerente e extravasou sua raiva. Após ouvir pacientemente durante alguns minutos, o funcionário perguntou:

– Você abriu a porta em seu quarto?

O noivo admitiu não tê-lo feito. Retornou à suíte e abriu a porta que pensava ser um closet.

Ali, cheio de cestas de frutas e chocolates, estava a espaçosa suíte.

Suspiros.

Você não pode ver a cena, ambos em pé, de frente para a porta do quarto que haviam negligenciado? Oh, teria sido tão maravilhoso...

Uma cama ao invés de um sofá desajeitado.

Uma janela com belas cortinas ao invés da parede branca.

A brisa fresca em lugar do ar abafado.

Um banheiro elaborado, não um cubículo.

Porém, eles perderam. Que pena! Confinados, abalados e desconfortáveis, enquanto a comodidade estava a uma porta. Eles perderam todas aquelas coisas porque acharam que a porta era de um closet.

Por que não tentaram abri-la? Eu pensava enquanto lia a peça. Parece ridículo. *Certifique-se. Faça uma tentativa. Dê uma olhada. Por que você supôs que a porta levaria a lugar nenhum?*

Boa pergunta. Não apenas para o casal, mas para todas as pessoas. Não para os dois que pensaram que aquele era todo o quarto, mas a todos que se sentem confinados e abalados na antesala chamada Terra. Ela não é o que esperamos. Pode ter seus momentos, contudo não corresponde às nossas expectativas. Alguma coisa dentro de nós anseia por mais.

Compreendemos o que Paulo quer dizer quando escreve: "Nós... gememos em nós mesmos, esperando a adoção, a saber, a redenção do nosso corpo" (Rm 8.23).

Gemer. Esta é a palavra. Uma expressão interna. Um eco da caverna do coração. O sinal da alma que denuncia a situação deslocada do mundo. Impróprio. Mal soletrado. Vacilante.

Algo está errado.

O quarto está muito confinado para respirar, a cama, muito dura para descansar, e as paredes, muito despidas para serem admiradas.

Então gememos.

Não que não tentemos. Fazemos o melhor possível com o nosso quarto. Mudamos a posição dos móveis, pintamos as paredes, diminuímos as luzes. Porém, é o máximo que se pode fazer com ele.

Então gememos.

E realmente deveríamos, argumenta Paulo. Não fomos criados para estes insignificantes quartos: "Enquanto estamos no corpo, vivemos ausentes do Senhor" (2 Co 5.6).

É nosso corpo uma tenda? Boa metáfora. Já passei algumas noites numa barraca. É agradável nas férias, mas não para morar. As abas voam quando abertas. O vento de inverno rasteja por baixo da lona. O aguaceiro de verão se infiltra por cima. A lona se gasta, enquanto as estacas tendem a soltar.

Paulo sustenta que necessitamos de algo melhor, permanente. Algo indolor, mais que carne e osso. E, até que isto ocorra, gememos.

Sei que não estou escrevendo algo novo. Você conhece o gemido da alma. Você não precisava de mim para conhecê-lo.

Porém, talvez fosse necessário que eu dissesse a você que está certo. É certo gemer. É permissível ansiar. A saudade faz parte da vida. É natural ter saudades do lar quando em uma jornada.

Ainda não estamos em nosso lar.

Somos órfãos no portão do orfanato, aguardando nossos novos pais. Eles ainda não chegaram, mas sabemos que estão a caminho. Eles escreveram-nos uma carta. Ainda não os vimos, mas imaginamos como parecem. Ainda não estamos familiarizados com nosso novo lar, mas temos uma intuição sobre ele. É grande. Eles enviaram a descrição.

O que fazemos então? Aqui, no portão onde o *já pronto* encontra o caminho do *ainda não*, o que fazemos?

Gememos. Ansiamos pelo chamado para o lar. Mas, até que Ele chame, nós esperamos. Permanecemos no alpendre do orfanato e aguardamos. E como esperamos? Com paciente ansiedade.

Mas, se esperamos o que não vemos, *com paciência* o esperamos (Rm 8.25, grifo meu).

Mas nós mesmos, que temos as primícias do Espírito, também gememos em nós mesmos, *esperando* a adoção (Rm 8.23, grifo meu).

Ansiamos. Não a ponto de perdermos nossa paciência, nem tão pacientes a ponto de perder a ansiedade.

Contudo, nossa tendência é adotar uma ou outra posição.

Ficamos tão pacientes que dormimos!

Nossas pálpebras ficam pesadas. Nossos corações, sonolentos. Nossas esperanças, negligenciadas. Dormimos em nosso posto.

Ou então, ficamos tão ansiosos que exigimos. Exigimos neste mundo o que apenas o mundo vindouro pode oferecer. Nada de doenças, sofrimentos, lutas. Batemos o pé e balançamos os punhos, esquecendo-nos de que esta paz pode ser encontrada somente no Céu.

Precisamos ser pacientes, mas não ao ponto de perder o desejo. Devemos ser ansiosos, mas não ao ponto de não podermos esperar.

Deveríamos ser sábios para fazer o que os recém-casados não fizeram. Abrir a porta. Ficar de pé na entrada. Prestar atenção à câmara. Suspirar ante a formosura.

E esperar. Esperar até que o Noivo chegue e carregue a nós, sua noiva, além da entrada.

CAPÍTULO VINTE E SETE

Avistando a Nova Terra

Passávamos uma semana de férias no Colorado, e nossa família juntou-se a várias outras pessoas para subir ao topo de uma montanha de 14 mil pés de altura. Nós a escalaríamos da maneira mais fácil, dirigindo até onde fosse possível e cumprindo a trilha final a pé. Vocês, bons colegas andarilhos, teriam ficado aborrecidos. Mas, para uma família com três pequenas garotas, era quase tudo que podíamos fazer.

A jornada foi tão bela quanto cansativa. Fui coagido a lembrar como o ar era leve, fino, ao contrário da minha cintura.

Nossa filha Sara, de quatro anos, teve sua dificuldade duplicada. Uma queda logo nos primeiros minutos deixou-a com o joelho esfolado e, conseqüentemente, com problemas para caminhar. Ela não quis andar. Na verdade, recusou-se a fazê-lo. Queria uma carona. Primeiro em minhas costas, depois nos braços da mãe, de volta às minhas costas, então nas costas de um amigo, nos braços da mãe... bem, você já entendeu.

Na verdade, sabemos como ela se sentiu. Você também tem caído e pedido ajuda, e também tem recebido.

Todos nós precisamos de auxílio algumas vezes. Esta jornada é íngreme, e alguns desistem dela.

Alguns param de escalar. Outros apenas sentam. Ainda estão

perto da trilha, porém não estão nela. Não abandonam a viagem, mas não continuam. Não descem do cavalo, contudo não o estimulam a andar. Não renunciam, e também demoram a se decidir.

Apenas pararam de andar. Muito tempo é gasto em volta da fogueira, falando sobre como as coisas costumavam ser. Alguns permanecem sentados no mesmo lugar durante anos. Eles não mudarão. As orações não se aprofundarão. A devoção e a paixão não irão aumentar.

Alguns tornam-se até cínicos. Desdenham do viajante que os animam a prosseguir a jornada. Afligem o profeta que os desafia a ver a montanha. Afligem o explorador que os relembra seu chamado... peregrinos não são bem-vindos aqui.

Assim, o peregrino desloca-se junto com o fazendeiro.

Muda para a mesma monotonia.

Muda por segurança.

Muda para o banco de areia.

Espero que você não faça isso. Em caso afirmativo, porém, espero que não desdenhe o peregrino que o chama de volta à jornada.

Vale a pena continuar caminhando.

Enquanto tentava inutilmente convencer Sara a andar, eu procurava descrever o que estávamos para ver.

– Será tão lindo – eu dizia a ela. – Você verá todas as montanhas, o céu, as árvores.

Não deu certo. Ela queria ser carregada.

De qualquer modo, ainda era uma boa idéia. Mesmo que não desse certo. Nada impulsiona uma jornada como a visão do topo da montanha.

A propósito, um grande cenário também aguarda você. O escritor hebreu dá-nos uma parte da Geografia Celestial. Vejam como ele descreve o topo da montanha de Sião. Ele diz que, ao alcançarmos a montanha, teremos chegado à "cidade do Deus vivo, à Jerusalém celestial, e aos muitos milhares de anjos, à universal assembléia e igreja dos primogênitos, que estão inscritos nos céus, e a Deus, o Juiz de todos, e aos espíritos dos justos aperfeiçoados, e a Jesus, o Mediador de uma nova aliança, e ao sangue da aspersão, que fala melhor do que o de Abel" (Hb 12.22-24).

Que montanha! Não será ótimo conhecer os anjos? Finalmente ver como se parecem e quem são? Ouvi-los contar os momentos que estiveram ao nosso lado, até mesmo em nossas casas?

Imagine o encontro dos primogênitos. A reunião de todos os filhos de Deus. Sem ciúmes. Competição. Divisão. Precipitação. Seremos perfeitos... puros. Não haverá mais erros, pecados. A cobiça cessará. Fofocas serão silenciadas. O rancor será extirpado para sempre.

E, imagine ver Deus. Finalmente olhar a face de nosso Pai. Sentir o olhar de Deus para você. Isto nunca mais terá fim.

Ele cumprirá sua promessa. *Eis que faço novas todas as coisas,* Ele prometeu. *Limparei de seus olhos toda lágrima. Restaurarei o sorriso apagado pela dor. Tocarei novamente as sinfonias não ouvidas pelos surdos e o pôr-do-sol nunca visto pelos cegos.*

Os mudos cantarão. O pobre será farto. As feridas, saradas.

Farei novas todas as coisas. Restaurarei todas as coisas. As crianças atingidas por doenças correrão para os seus braços. A liberdade perdida pela opressão dançará em seu coração. A paz de um coração puro será o meu presente para você.

Farei novas todas as coisas. Nova esperança. Nova fé. E, mais do que tudo, novo amor. O amor do qual todos os amores falam. O amor diante do qual todos os amores perdem o brilho. O amor que você tem procurado em centenas de portas, em centenas de noites... este amor vindo de mim, será seu.

Que montanha! Jesus estará lá. Você anseia vê-lo, e finalmente o fará. É interessante a descrição do que veremos. O escritor não menciona a face de Jesus, conquanto a veremos. Não se refere à voz de Jesus, conquanto será ouvida. Ele menciona algo de Jesus que a maioria de nós jamais pensaria ver. O sangue de Jesus. O sangue carmesim derramado na cruz. O líquido de vida que saiu de sua fronte, de suas mãos, do seu lado.

O sangue humano do Cristo divino. Cobrindo nossos pecados.

Proclamando a mensagem: *Fomos comprados e jamais poderemos ser vendidos.*

Que momento! Que montanha!

Acredite-me quando digo que valerá a pena. Nenhum custo é muito alto. Se você precisa pagar o preço, faça-o. Nenhum sacrifício é grande demais. Caso precise deixar a bagagem no caminho, faça-o! Nenhuma perda pode ser comparada. Prossiga a qualquer custo!

Pelo amor de Deus, prossiga!

Valerá a pena, asseguro-lhe. Ao avistar o topo, a dor da trilha será justificada.

A propósito, nosso grupo finalmente subiu a montanha. Ficamos mais ou menos uma hora no topo, tirando fotos e apreciando a vista. Mais tarde, no caminho de volta, ouvi a pequena Sara exclamar orgulhosa:

– Consegui!

Eu ri. *Não você,* pensei. *Sua mãe e eu a carregamos. Amigos e familiares a ajudaram subir esta montanha. Você não fez nada.*

Mas eu não disse qualquer palavra, pois tenho recebido o mesmo tratamento. Assim como você. Podemos pensar que estamos escalando, mas estamos pegando uma carona. Uma carona nas costas do Pai, o qual deseja que caminhemos em direção ao Lar. O Pai que não fica nervoso quando cansamos.

Além do mais, Ele sabe o que é escalar uma montanha.

Ele escalou uma por nós.

CAPÍTULO VINTE E OITO

O Nome que Apenas Deus Conhece

Há algum tempo, após um culto, fui presenteado com uma foto. A fotografia de um cachorro.

Não é normal as pessoas mostrarem fotos de seus cães. Bebês, sim. Netos, com freqüência. Cônjuges, ocasionalmente. Mas cães? Esta foi a primeira. Eu não sabia o que dizer.

– Realmente um cachorro – esforcei-me.

O casal entreolhou-se, riu e olhou novamente para mim. Eles sabiam algo mais do que eu.

– Qual é a dica? – perguntei.

– Nós o chamamos de Max! – proclamaram em uníssono.

Novamente fiquei intrigado. Era uma brincadeira ou uma honra? Um cumprimento ou diminuição?

Escolhi o caminho mais seguro.

– Ah... nunca tinha visto um cachorro com meu nome.

– Sabíamos que você ficaria lisonjeado – ela explicou. – Apreciamos tanto os seus livros que quando compramos este filhotinho pensamos em você.

(Filhotinho?)

Agradeci e guardei a foto. Somente mais tarde pensei em algumas respostas. *Não é o primeiro Max a morar em uma casa de cachorro* era uma. Chato eu não ter pensado isto na hora. Mais tarde, um amigo deu-me um artigo onde li que Max é o nome mais popular para cães na América. Então, talvez eu tenha uma nova chance.

Não posso afirmar que já pensei muito sobre meu nome. Sempre imaginei que não fizesse muita diferença. Lembro-me de uma criança, na escola primária, que pensava que eu era Alemão. Eu neguei.

– Então por que tem um nome alemão?

Nunca soube que Max era alemão. Ele assegurou-me que sim. Então decidi descobrir.

– Por que vocês me deram o nome de Max? – perguntei a minha mãe ao chegar em casa.

Ela me olhou por cima da pia e respondeu:

– Você parecia com um.

Como disse, nunca pensei muito sobre meu nome. Porém, ultimamente, há um nome que vem me interessando muito. Um nome conhecido apenas por Deus. O nome que apenas Ele dá. Único. *Sui generis.*

Do que estou falando? Bem, você pode não saber, mas Deus tem um novo nome para você. Quando chegar ao Lar, Ele não o chamará de Alice, Geraldo ou João. O nome que você costumava ouvir não será mais utilizado. Deus declara que fará novas todas as coisas, e isto é literal. Você terá um novo lar, um novo corpo, uma nova vida e um novo nome: "Ao que vencer darei eu a comer do maná escondido e dar-lhe-ei uma pedra branca, e na pedra um novo nome escrito, o qual ninguém conhece senão aquele que recebe" (Ap 2.17).

Faz sentido. Encontramos pais dando nomes especiais aos seus filhos. Princesa, Tigre, Docinho, Anjo. Tenho uma amiga cujo pai a chama de Willy. Seu nome é Priscilla. Enquanto a menina crescia, ele, brincando, a chamava de Priscilly. Aquilo virou Silly-Willy. Hoje ele a chama de Willy. Ninguém mais a chama assim, e mesmo que o fizessem, não conseguiriam imitá-lo.

Talvez você agora não tenha um nome especial. Quem sabe dedique muito de sua vida bolando um outro nome ou, como o meu, possua um que seja popular no reino animal. Seja como for, qualquer nome terrestre será logo esquecido. O único relevante é aquele que Deus reservou especialmente para você.

Talvez já tenha recebido nomes especiais, os quais nunca observou. Nomes de menosprezo e ofensivos. Nomes como "perdedor", "impostor", "aleijado" ou "divorciado". Caso isto tenha acontecido, sinto muito. Você sabe que um nome pode magoar. Mas também sabe como um nome pode sarar.

Especialmente quando vem dos lábios de Deus.

Não é incrível pensar que Deus reservou um nome só para você? O qual você nem mesmo sabe? Sempre aceitamos o nome que recebemos como um companheiro eterno. Nem tanto. Imagine o que isto implica. Aparentemente, seu futuro é tão promissor que lhe garante um novo título. A estrada à frente é tão brilhante que um novo nome torna-se necessário. Sua eternidade é tão especial que nenhum nome comum será adequado.

Então, Deus tem um nome reservado só para você. Há mais para sua vida do que jamais imaginou. Há mais para sua história do que tem lido. Há mais para sua canção do que tem cantado. O bom autor guarda o melhor para o final. O grande compositor guarda o melhor para o final. E Deus, o Autor da vida e Compositor da esperança, tem feito o mesmo por você.

O melhor está por vir.

Assim, peço a você que não desista.
Assim, apelo que termine a jornada.
Assim, exorto que esteja lá.

Esteja lá quando Deus pronunciar seu nome.

GUIA DISCUSSIONAL

Elaborado por
Steve Halliday

COMO UTILIZAR ESTE GUIA

A finalidade destes pequenos estudos não é apenas interagir com as idéias de *Quando Deus Sussurra o Seu Nome*, mas também fazer com que os leitores recorram às Escrituras como um manancial para tais idéias.

A primeira sessão de cada estudo (*Pontos a Ponderar*) traz excertos de cada capítulo para discussões em grupo. A segunda sessão (*Sabedoria da Palavra*) ajuda os leitores a observar mais profundamente, do ponto de vista bíblico, o assunto em questão.

Conquanto os estudos podem ser completados isoladamente, é possível também considerá-los em conjunto com os que abranjam temas similares. Segue a lista de estudos complementares sugerida:

- A Voz do Carrinho de Limpeza/Heróis Ocultos/Seu Nome Poderia Constar na Bíblia
- Por que Jesus Ia a Festas/Conceitos
- Por Trás da Cortina do Chuveiro/Mantimentos e Graça/Sobre Oz e Deus
- Os Cartões de Natal de Deus/As Perguntas de Gabriel
- O Profeta/A Escolha
- Qual É o Seu Preço?/Quando os Grilos o Deixam Irritado
- Vencendo sua Herança/Sua Mochila de Pedras

- A Suave Canção do Segundo Plano/Um Trabalho Interno/Perseverando no Caminho de Deus
- Boas Notícias Antes de Dormir/ O Deus que Batalha em Seu Favor
- Enxergando o que os Olhos Não Podem Ver/Hábitos Saudáveis
- O Dom da Infelicidade/Órfãos no Portão/Avistando a Nova Terra
- DFW e o Espírito Santo/O Nome que Apenas Deus Conhece

CAPÍTULO 1 – A VOZ DO CARRINHO DE LIMPEZA

Pontos a Ponderar

Algumas coisas nos acontecem ao longo do caminho. As convicções para modificar o mundo decadente são transformadas em comprometimentos para pagar as contas. Ao invés de fazer a diferença, fazemos o salário. Ao invés de olhar adiante, olhamos para trás. Ao invés de olhar para fora, olhamos para dentro. E não gostamos do que vemos.

1. Suas convicções têm mudado à medida que você envelhece? Caso afirmativo, de que forma?

2. Você gosta do que vê? Explique.

Moisés aos quarenta: como o achamos perfeito! Mas, e aos oitenta? Sem chances. Muito velho, cansado, cheirando a pastor de ovelhas. Falando como estrangeiro. Que impacto causaria a Faraó? Ele é o homem errado para esta missão.

E Moisés teria concordado:

– Já tentei fazer isso – ele diria. – Aquelas pessoas não querem ajuda. Deixe-me aqui, cuidando de minhas ovelhas. Elas são fáceis de conduzir.

Moisés não teria ido. Você não o teria enviado. Eu também não. Mas Deus o enviou.

1. Você teria dado a Moisés a tarefa de tirar o povo de Israel da escravidão? Explique.

2. Para você, o que Deus viu em Moisés? O que Ele pode ver em você?

A voz proveniente do arbusto é a que lhe confidencia. Ela o faz lembrar que Deus não terminou a obra em sua vida. Ah, você pode pensar que sim, pois está no cume. Pode pensar que ele designará outra pessoa para o trabalho. Se este for o seu caso, pense novamente.

1. Como a "voz proveniente do arbusto" o lembra de que Deus ainda não terminou a obra dEle em sua vida?
2. Você já teve uma experiência como a da "sarça ardente"? Caso afirmativo, descreva-a.
3. O que Deus ainda pode estar requerendo que você faça?

Sabedoria da Palavra

- Leia Êxodo 6.28 – 7.6. O que Moisés pensava sobre si mesmo? O que Deus achava dele? Qual opinião prevaleceu?
- Leia Hebreus 11.24-28. De acordo com esta passagem, como Moisés executou sua tarefa? Como isto se relaciona a você?
- Leia Filipenses 1.6. Que promessa existe neste versículo? Como ela pode afetar sua maneira de viver? Afeta ela o seu modo de viver? Explique.

CAPÍTULO 2 – POR QUE JESUS IA A FESTAS

Pontos a Ponderar

... pois é significativo que amigos de uma pequena cidade sentissem prazer em estar com Jesus. É notável que o Todo-poderoso não fosse solene. Tampouco era do tipo sabe-tudo ou sou-mais-santo-que-vocês. AquEle que criou as estrelas não as tinha em mente. O Dono de toda a Terra e de tudo que nela há nunca se gabou disto.

1. É importante para você que "amigos" gostassem de estar ao redor de Jesus? Explique.
2. Use uma única palavra para descrever a característica na vida de Jesus citada acima.

   De onde provém a idéia de que o bom cristão deve ser solene? Quem iniciou os rumores sobre a necessidade de o cristão andar de cara fechada? Como criamos a premissa de que os verdadeiros abençoados são os de cara amarrada?

1. Você pensa nos cristãos como "solenes"? Explique.
2. De onde você pensa ter-se originado a idéia de que o crente deve ser carrancudo?
3. As outras pessoas o vêem como alguém carrancudo? Explique.

Não estou falando sobre deboches, bebedeira e adultério. Tampouco apoiando concessões, grosserias ou obscenidades. Estou simplesmente lutando pela liberdade de poder participar de uma boa brincadeira, animar uma festa triste e apreciar uma noite divertida.

1. O que você acha do pensamento de Max sobre o assunto?
2. O que você acha que Jesus diria a um cristão "solene"?

Sabedoria da Palavra

- Leia João 2.1-11. Que impressão Jesus lhe causa nesta passagem? Por que você acha que João a incluiu em seu evangelho?
- Leia Mateus 11.18,19. Indique as partes verdadeiras e falsas das acusações feitas contra Jesus. Baseado nestes versículos, quais suas impressões sobre o estilo de vida de Jesus? Como isto se relaciona ao pensamento de Max?

CAPÍTULO 3 – HERÓIS OCULTOS

Pontos a Ponderar

João não parece o profeta da transição entre a Lei e a graça. Tampouco se assemelha a um herói. Os heróis raramente parecem como tais.

1. De que forma os heróis raramente são identificados?
2. Qual a sua idéia de um herói?

Estou certo de que para cada herói destacado há dezenas nas sombras. Eles não estão na imprensa. Não atraem multidões. Nem mesmo escrevem livros! Mas, por trás de cada avalanche há um floco de neve. Por trás de uma rocha lisa há um cristal. Uma explosão atômica inicia-se com um átomo. E um reavivamento pode começar com um sermão.

1. Que "heróis nas sombras" você conhece?

2. O que os torna heróis?

Mas façamos o possível para manter nossos olhos abertos. O Spurgeon de amanhã pode estar cortando a sua grama. E o herói que o inspirará pode estar mais próximo do que imagina. Ele pode estar em seu espelho.

1. Você já foi um herói para alguém?
2. Você poderia ser um herói para alguém?

Sabedoria da Palavra

- Leia Marcos 1.1-8. Como você descreveria João em termos modernos? Como sua aparência e estilo de vida o ajudam a cumprir sua missão? De que forma Ele foi um herói?
- Leia 2 Coríntios 4.7-11; 6.4-10; 11.22-28. O que aprendemos sobre Paulo nestes versículos? O que neles descreve o tipo de herói que ele era? Estas passagens o encorajam ou desencorajam? Por quê?

CAPÍTULO 4 – SEU NOME PODERIA CONSTAR NA BÍBLIA

Pontos a Ponderar

No evangelismo, o Espírito Santo é o personagem central. Se os discípulos ensinam, é porque o Espírito ensina aos discípulos (Lc 12.12). Se o ouvinte é convencido, é porque o Espírito penetrou no seu coração (Jo 16.10). Caso o ouvinte seja convertido, é pelo poder transformador do Espírito (Rm 8.11).

1. Como você tem visto o Espírito Santo atuar em sua vida no processo do evangelismo?
2. Que diferença faz em sua vida o fato do Espírito Santo atuar lado a lado com você no evangelismo?

Você possui o mesmo Espírito trabalhando em sua vida, assim como Filipe. Alguns de vocês não acreditam em mim. Ainda têm reservas.

1. Como o trabalho do Espírito em sua vida assemelha-se ao da vida de Filipe? Qual a diferença?
2. Você é um dos que têm reservas? Explique.

Sabedoria da Palavra

- Leia Atos 8.26-40. Faça uma lista dos passos de Filipe dirigidos pelo Espírito. Que princípios de evangelismo efetivo podemos tirar desta passagem? Quais deles você utiliza? Quais não utiliza? Explique.
- Leia Romanos 8.13,14; Gálatas 5.16-18. O que nos ensinam estas passagens sobre a liderança do Espírito? Isto foi prometido? Que alertas são dados?

CAPÍTULO 5 – CONCEITOS

Pontos a Ponderar

Aprendemos brevidade com Jesus. Seu maior sermão pode ser lido em oito minutos (Mt 5-7). Sua história mais popular pode ser lida em 19 segundos (Lc 15.11-32). Ele sumariou a oração em seis frases (Mt 6.9-13). Silenciou acusadores com apenas um desafio (Jo 8.7). Resgatou uma alma com uma única sentença (Lc 23.43). Resumiu a Lei a três versículos (Mc 12.29-31). E reduziu todo o seu ensino a um só mandamento (Jo 15.12). Ele estabeleceu sua posição e retirou-se.

1. O que é tão poderoso na brevidade? O que a faz tão eficaz?
2. Quais os conceitos de Max mais significativos para você neste capítulo? Por quê?

Sabedoria da Palavra

Leia Lucas 15.11-32. Por que você acha que esta é a história mais conhecida de Jesus? O que a faz tão poderosa?

Leia Mateus 6.9-13. Liste os elementos de oração encontrados nesta passagem. Você utiliza estes elementos em sua vida de oração? Explique.

Leia Marcos 12.29-31. Como estes mandamentos sumariam todos os ensinamentos bíblicos? Como se harmonizam?

CAPÍTULO 6 – OS CARTÕES DE NATAL DE DEUS

Pontos a Ponderar

Caso nossa maior necessidade fosse informação, Deus nos teria enviado um educador. Se nossa maior necessidade fosse a tecnologia, Deus teria nos enviado um cientista. Se nossa necessidade fosse dinheiro, Deus teria nos enviado um economista. Mas, uma vez que nossa maior necessidade era o perdão, Deus nos enviou o Salvador.

1. Você concorda que nossa maior necessidade é o perdão?
2. Explique por que você concorda com isto: "Ele fez-se como nós, para que pudéssemos nos tornar como Ele".

1. De que maneira Ele fez-se como nós?
2. De que maneira podemos nos tornar como Ele?

Sabedoria da Palavra

Leia Mateus 1.18 – 2.12. Se você tivesse de escrever uma mensagem em um cartão de Natal, com base nesta passagem, que elemento da história você destacaria? Por quê?

Leia Lucas 2.1-20. Caso você fosse escrever uma mensagem em um cartão de Natal, com base nesta passagem, que elemento da história você destacaria? Por quê?

CAPÍTULO 7 – POR TRÁS DA CORTINA DO CHUVEIRO

Pontos a Ponderar

Nunca fiquei surpreso com o julgamento de Deus, mas ainda fico atordoado com sua graça.

1. Você já ficou surpreso com o julgamento de Deus? Com sua graça? Explique.
2. Por que sua graça costuma nos surpreender mais do que seu julgamento?

Parece que Deus está buscando maneiras de nos deixar em casa, mais do que nos manter fora dela. Desafio você a descobrir uma alma que venha a Deus buscando sua graça e não a tenha encontrado.

1. Que maneiras Deus tem usado para levá-lo ao Lar?
2. Aceitando o desafio de Max, você pode pensar em um personagem bíblico que tenha procurado a graça de Deus e não a encontrou? O quanto isto é significativo? Por quê?

Não sou a favor da manipulação da verdade ou de comprometer o Evangelho. Mas se um companheiro com o coração puro clamar a Deus *Pai,* não posso chamar a mesma pessoa de *irmão?* Se Deus não faz da perfeição doutrinária um requisito para ser membro de sua família, por que deveria eu fazê-lo?

1. O que você acha que Max quer dizer com "um companheiro com o coração puro"?
2. O que aconteceria caso a "perfeição doutrinária" fosse um "requisito para ser membro de sua família"?

Sabedoria da Palavra

Leia Lucas 19.1-10. Como a graça transformou Zaqueu? Você acha que ele foi surpreendido pela graça? E quanto aos que o rodeavam? Explique.

Leia Lucas 15.3-7. A quem Jesus dirigiu esta parábola? Qual o seu significado? Qual o seu ponto principal? O que você aprendeu sobre graça nesta parábola?

CAPÍTULO 8 – AS PERGUNTAS DE GABRIEL

Pontos a Ponderar

E nós? Estamos ainda atordoados pela vinda de Deus, ou confusos pelo acontecimento? O nascimento de Jesus gera ainda a mesma reação de perplexidade de dois mil anos atrás?

1. Você ainda está "atordoado pela vinda de Deus"?
2. Como você se prontifica a permitir que Deus o atordoe?

E, qual o motivo para que entre centenas de filhos de Deus, apenas dois parassem e notassem seu Filho? Que demônio de dezembro é este, que cega nossos olhos e também cerra nossas línguas? Não seria este o momento de parar e estudar as questões de Gabriel? A tragédia não consiste em nossa incapacidade de respondê-las, e sim que estamos muito ocupados em formulá-las.

1. Como você explica este "demônio de dezembro... que cega nossos olhos e também cerra nossas línguas"?
2. Quais as questões de Gabriel que mais lhe intrigam? Por quê?

Sabedoria da Palavra

- Leia Lucas 1.5-20; 26-38. Compare o versículo 18 com o 34. Por que você acha que Gabriel reagiu de maneira tão diferente a estas perguntas? Você acha que Gabriel era uma "personalidade" muito bondosa? Explique.
- Leia Daniel 8.15-19; 9.20-22. O que você aprendeu sobre a personalidade de Gabriel através destas passagens? Caso ele aparecesse a você, como acha que reagiria?

CAPÍTULO 9 – QUAL É O SEU PREÇO?

Pontos a Ponderar

– Escolha uma das opções, e o dinheiro será seu.

Uma voz penetrante, vinda de outro microfone, começa a ler a lista.

Ei-la: *Dar seus filhos para adoção. Prostituir-se durante uma semana. Desistir da cidadania americana. Abandonar sua igreja. Abandonar sua família. Matar um estranho. Fazer uma mudança de sexo. Abandonar sua esposa. Mudar sua raça.*

– Esta é a lista – proclama o apresentador. – Faça agora sua opção.

1. Caso você fosse um concorrente neste show, como responderia?
2. Qual é o seu preço?

Certa vez, um estudante foi escolhido para definir as partes de um discurso: *eu* e *meu*. A resposta: "pronomes agressivos".

1. Qual o problema com "pronomes agressivos"?
2. Qual o custo do egoísmo?

Sabedoria da Palavra

Leia Lucas 12.13-21. A que avareza Jesus se refere nesta passagem? Qual o seu principal objetivo?

Leia Deuteronômio 10.14,15. De acordo com esta passagem, como a avareza perde o sentido? Qual a relação entre os versos 14 e 15?

Leia Hebreus 13.5,6. Que mandamento negativo é dado aqui? E positivo? Quais as razões para obedecermos esses mandamentos? Quais os resultados de obedecê-los?

CAPÍTULO 10 – MANTIMENTOS E GRAÇA

Pontos a Ponderar

Nós, também, temos sido agraciados com uma surpresa. Muito mais do que aquela senhora. Embora seu débito fosse alto, ela poderia pagá-lo. Nós não podemos sequer começar a pagar o nosso. Nós, assim como a mulher, temos sido presenteados. Não exatamente como na fila do caixa, mas diante do trono do julgamento. E nós, também, tornamo-nos a Noiva. Não apenas por um momento, mas por toda a eternidade. E não apenas para alimentos, como também para abstinência, jejum.

1. De que maneira temos sido "agraciados com uma surpresa"?
2. Por que não podemos ao menos começar a pagar nossa dívida?
3. Que presente receberemos no dia do Juízo?
4. De que maneira nos tornamos a Noiva?
5. A que banquete Max se refere? Explique.
6. Você espera participar do banquete?

Sabedoria da Palavra

Leia Romanos 5.6-11. Por quem Jesus morreu (v. 6)? Por que isto é um exemplo da graça? Qual o resultado de aceitarmos a graça? Explique.

Leia Apocalipse 19.6-9. Qual o tom do evento descrito nesta passagem? Quais os principais participantes? Você espera estar lá? Sim ou não? Por quê?

CAPÍTULO 11 – A ESCOLHA

Pontos a Ponderar

Amor, alegria, paz, paciência, generosidade, virtude, fidelidade, mansidão e autocontrole. A estes submeto meu dia. Caso seja bem-sucedido, louvarei a Deus. Se falhar, buscarei sua graça. E então, ao anoitecer, colocarei minha cabeça sobre o travesseiro e descansarei.

1. Qual a sua opinião sobre a filosofia de vida expressa no parágrafo acima?
2. Ela funciona? Explique.

Sabedoria da Palavra

- Leia Gálatas 5.22,23. Por que não há lei contra as coisas citadas nesta passagem? A que estas coisas são comparadas nos versos 19-21? Em que lista você se encaixa com mais freqüência?
- Leia Deuteronômio 30.19,20 e Josué 24.14,15. Que escolhas são dadas nestas duas passagens? De que forma estas são as mesmas escolhas que devemos fazer? Qual foi a sua escolha? Explique.

CAPÍTULO 12 – O PROFETA

Pontos a Ponderar

Um se veste como Jesus, mas o outro age como Jesus. Um apresenta-se como embaixador de Cristo, o outro não precisa fazê-lo. Um ativou minha curiosidade, porém o outro tocou meu coração.

1. Qual destes dois homens você mais gostaria de encontrar? Justifique.

2. Com qual destes dois homens você mais gostaria de passar uma semana? Justifique.

E algo me disse que, se Jesus estivesse ali em pessoa e eu o encontrasse em uma padaria, não o reconheceria por causa de seu ancinho, o macacão e a grande Bíblia. Mas o faria pelo seu bom coração e as palavras gentis.

1. Como você acha que Jesus se vestiria, caso andasse em nosso mundo hoje? Você conseguiria distingui-lo em meio à multidão? Explique.
2. Como você acha que Ele agiria?

Sabedoria da Palavra

- Leia 1 João 2.3-6. Como podemos saber que conhecemos Jesus? (v. 3). O que acontece à pessoa que conhece Jesus? (v. 5). Se alegamos conhecer a Jesus, o que devemos fazer? (v. 6).
- Leia Lucas 6.43-45. Como podemos diferenciar uma árvore boa de uma ruim? Que tipo de "frutos" as pessoas dizem que você produz?
- Leia Efésios 5.1,2. Que mandamentos são dados nesta passagem? Que exemplos são citados?

CAPÍTULO 13 – QUANDO OS GRILOS O DEIXAM IRRITADO

Pontos a Ponderar

Ao sermos maltratados, nossa resposta animalesca é ir à caça. Instintivamente, unimos nossas mãos. Acertar as contas é apenas natural. O que, por acaso, é precisamente o problema. A vingança é natural, não espiritual. Acertar as contas é a regra da selva. Favorecer é a regra do Reino de Deus.

1. Qual destas caracteriza com mais freqüência sua resposta aos maus-tratos: a "regra da selva" ou a "regra do Reino de Deus" ?
2. Dê um exemplo de como você reage aos maus-tratos.

A vingança é irreverente. Assim, nos pegamos dizendo:

– Sei que a vingança pertence a ti. Apenas pensei que o Senhor não havia punido o suficiente. Achei melhor tomar a frente da situação. O Senhor tem a tendência de ser um pouco suave.

1. Você já se sentiu como o parágrafo acima descreve? Explique.
2. Se você já vivenciou tal sentimento, qual foi o resultado?

O perdão acontece de maneira mais fácil quando olhamos sob o ângulo certo.

José utiliza-o para descrever toda a situação. Ele recusa-se a concentrar-se na traição de seus irmãos sem contar com a lealdade do seu Deus.

1. Por que é mais fácil o perdão quando "olhamos sob o ângulo certo"?
2. Como pode ficar mais difícil sob o ângulo errado?

Sabedoria da Palavra

- Leia Provérbios 20.22. Que mandamento negativo é dado aqui? E qual o mandamento positivo? Como os dois trabalham conjuntamente?
- Leia Gênesis 50.15-21. José tinha razões para estar nervoso pela maneira como era agredido pelos seus irmãos? Como ele reagiu? Qual foi o resultado? Se você fosse José, como acha que teria reagido?

CAPÍTULO 14 – ENXERGANDO O QUE OS OLHOS NÃO PODEM VER

Pontos a Ponderar

Fé é confiar no que os olhos não podem ver. Os olhos vêem o leão que se aproxima. A fé vê o anjo de Daniel. Os olhos vêem a tempestade. A fé vê o arco-íris de Noé. Os olhos vêem o gigante. A fé vê Canaã.

1. Você concorda que "fé é confiar no que os olhos não podem ver"?
2. Há mais coisas além dessas? Explique.
   – Só pulo em braços grandes.

Se achamos que os braços são fracos, não pulamos. Por isso o Pai dobrou seus músculos.

1. Como Deus tem demonstrado seus "braços grandes" em sua vida?
2. Qual foi a maior "flexão de braços" que você já experimentou?

Sabedoria da Palavra

- Leia Hebreus 11.1-3. Como a fé é definida nesta passagem? Como você a descreveria em suas próprias palavras?
- Leia o Salmo 20. Que lições de confiança você aprende nesta passagem? Quais promessas são dadas? Que esperança é expressa?
- Leia Efésios 1.19,20. Esta passagem ajuda a construir sua fé? Explique. Como Paulo utiliza esta passagem em Efésios?

CAPÍTULO 15 – VENCENDO SUA HERANÇA

Pontos a Ponderar

Não podemos escolher nossos parentes, mas podemos escolher nossos mentores.

1. Que mentores você tem escolhido?
2. Por que você tem escolhido esses indivíduos em particular?

"Talvez não tenha muito do que se orgulhar sobre o seu passado. Talvez tenha feridas mortais. E agora, como Josias, precisa fazer uma escolha. Transporá o passado e fará a diferença? Ou permanecerá controlado pelo passado e inventará desculpas"?

1. Escolha uma palavra que descreva como você se sente sobre o seu passado: Grato? Enraivecido? Desencorajado? Orgulhoso? Deprimido? Abençoado?
2. Como permitimos que algumas vezes sejamos controlados por nosso passado? Você já passou por isto? Explique.

Talvez você não tenha muito de que se orgulhar sobre o seu passado. Talvez tenha feridas mortais. E agora, como Josias, precisa fazer uma escolha. Transporá o passado e fará a diferença?

Ou permanecerá controlado pelo passado e inventará desculpas?

1. Como este princípio muda toda nossa perspectiva?
2. Que tipo de herança espiritual você possui agora? Descreva-a.

Sabedoria da Palavra

- Leia 2 Reis 21. Descreva a herança de Josias. Como você acha que ele se sentia sobre ela?
- Leia João 3.1-8. Como podemos receber a herança espiritual? O que precisamos fazer? Como o Espírito se move em sua vida? De onde veio o "vento"?
- Leia 2 Coríntios 5.17. Qual o significado de estar "em Cristo"? O que ganhamos? O que perdemos?

CAPÍTULO 16 – A SUAVE CANÇÃO DO SEGUNDO PLANO

Pontos a Ponderar

– Você tem estado em segundo plano por muito tempo. Precisa agir por si própria.

1. Você alguma vez já recebeu algum conselho como este?
2. Você alguma vez já deu tal conselho? Quais os resultados de segui-lo?

Viver para receber aplausos é um caminho errado.

1. Qual o significado da afirmação acima?
2. Como explicar o "caminho errado"?

E, desde esse dia, quando o Sol brilha, a Lua reflete e a escuridão é iluminada, a Lua não reclama nem sente mais ciúmes. Ela apenas executa o trabalho para o qual foi criada.

1. Qual o resultado de desempenharmos o papel para o qual fomos criados?
2. Você conhece este sentimento? Explique.

Sabedoria da Palavra

- Leia 1 Coríntios 12.12-30. Como a Lua poderia ter sido poupada de tamanho desgosto, caso houvesse considerado esta passagem?

Há nela uma lição para você? Caso afirmativo, qual seria?

- Leia Romanos 12.3-8. Como o conselho dado no verso 3 poderia ter evitado que a Lua sofresse daquela forma? Como isto se ajusta à pauta do resto da passagem?
- Leia Isaías 43.5-7. De acordo com Isaías, para que fomos criados? Como "glorificamos" a Deus? Você tem feito isto? Justifique.

CAPÍTULO 17 – SUA MOCHILA DE PEDRAS

Pontos a Ponderar

Não teria você buscado a religião ao invés de Deus? Não teria ido à igreja sem conseguir ver Cristo?

1. Você já foi à "religião" ao invés de ter ido a Deus? Se assim foi, o que aconteceu?
2. Como é possível ir à igreja e não ver a Cristo? Você vê Cristo quando vai à igreja? Explique.

Vá até ele. Seja honesto com Ele. Admita possuir segredos em sua alma com os quais nunca lidou. Ele já sabe quais são. Apenas está esperando que você lhe peça auxílio. Tão-somente aguarda que você lhe entregue o seu fardo de pedras. Vá em frente, e ficará completamente satisfeito.

1. Como você irá até Jesus? Você já se aproximou dEle desta forma?
2. Pergunte-se o que há em sua mochila. Você já lhe apresentou o seu conteúdo? Caso negativo, por quê?

Sabedoria da Palavra

- Leia 2 Coríntios 7.5-13. Qual a relação entre tristeza e arrependimento nesta passagem? (veja especialmente o versículo 10). Qual a conseqüência de uma tristeza saudável?
- Leia Mateus 1.28-30. O que Jesus nos manda fazer nesta passagem? Como podemos fazer isto? Qual será o resultado? Você já experimentou tal "alívio"? Explique.

CAPÍTULO 18 – SOBRE OZ E DEUS

Pontos a Ponderar

O poder que você precisa é o que já possui. Apenas observe um pouco mais, e não haverá coisa que não possa realizar. Parece familiar? Patriótico? Parece... cristão?

1. Qual foi a última vez que você ouviu uma afirmação parecida com citada anteriormente? Descreva-a.
2. Houve momentos em que tais afirmações pareceram cristãs para você? Explique.

O cristianismo faça-você-mesmo não é muito encorajador para o fraco e abatido.

1. O que Max quer dizer com "cristianismo faça-você-mesmo"?
2. Por que tal cristianismo não é muito encorajador para o fraco e abatido?

O Mágico manda você olhar para dentro de si mesmo e encontrar-se. Deus manda você olhar para si mesmo e encontrá-lo. O primeiro o levará até São Paulo. O segundo o levará ao Céu.

1. Como a frase de Max "olhar para dentro de si mesmo e encontrá-lo" pode ser mal compreendida?
2. Como você acha que ela deveria ser compreendida?

Sabedoria da Palavra

- Leia Mateus 19.17. Qual o objetivo de Jesus fazer tal afirmação ao jovem rico? O jovem compreendeu? Explique.
- Leia 1 Coríntios 6.9-11. Em que mentira Paulo não queria que os coríntios acreditassem? Com que intensidade suas vidas mudaram? Quem causou a mudança?
- Leia Romanos 1.17. De acordo com este versículo, de onde provém a "justiça"? Onde a fé se encaixa neste contexto? Como ela se diferencia da mensagem do mágico?

CAPÍTULO 19 – UM TRABALHO INTERNO

Pontos a Ponderar

Não se pode consertar um problema interno começando por fora.

1. A que "problema interno" Max se refere?
2. Por que não é possível consertar "começando por fora"?

A sociedade pode renovar-se, mas somente Deus re-cria.

1. Por que a sociedade não pode "re-criar"?
2. Por que Deus não renova somente?

Da próxima vez em que soarem os alarmes em seu mundo, faça a si mesmo três perguntas:

Existe algum pecado não confessado em minha vida?

Há algum conflito mal resolvido em meu mundo?

Há alguma preocupação irresoluta em meu coração?

Sabedoria da Palavra

- Leia Salmos 32.1-5. Como Davi primeiro lidou com seu próprio pecado? O que aconteceu? Como ele agiu, então? O que aconteceu depois disto?
- Leia Salmos 51.10. Como esta oração pode servir aos crentes de todas as épocas? Ela é parte de sua oração pessoal? Justifique.
- Leia 1 Pedro 5.7. Que mandamento é dado? Que razão é apresentada para tal mandamento? Como podemos segui-lo de maneira prática?

CAPÍTULO 20 – BOAS NOTÍCIAS ANTES DE DORMIR

Pontos a Ponderar

Alguém possui o controle deste trem, ou o maquinista baldeou, como fazemos ao avistarmos uma curva mortal?

1. Você já fez esta mesma pergunta a si mesmo alguma vez?

2. Caso afirmativo, quais eram as circunstâncias?

   A promessa do Messias percorreu seu caminho por 42 gerações de pedras cortadas em pedaços irregulares, formando um colar específico para o Rei que chegava. Assim como prometido.

1. Você está surpreso com a árvore genealógica da família de Jesus? Caso negativo, por que não?
2. Por que esta genealogia "específica para o Rei que chegara".
3. Por que você acha que Deus quis registrar sua árvore genealógica?

   O maquinista não abandonou o trem. A guerra nuclear não constitui uma ameaça a Deus. Economias oscilantes não intimidam os Céus. Líderes imorais nunca descarrilaram o plano. Deus mantém sua promessa.

1. Como a crença sólida na verdade acima manterá nossa segurança?
2. Que evidência desta verdade você vê em seu próprio mundo?
3. Que evidência bíblica pode ser citada?

Sabedoria da Palavra

- Leia João 16.33. Que promessa temos de Jesus nesta passagem? Que aviso Ele dá? Que significa "tende bom ânimo"? Por que deveríamos ter bom ânimo?
- Leia Daniel 4.34,35. Que lição Nabucodonosor aprendeu sobre o controle de Deus sobre o Universo? Como esta lição o afetou?
- Leia Isaías 43.11-13. O que diz o próprio Deus sobre seu controle do Universo? Que frase nesta passagem é mais notável para você? Por quê?

CAPÍTULO 21 – HÁBITOS SAUDÁVEIS

Pontos a Ponderar

Voltemos a um passado não muito distante. Um ou dois anos atrás. Agora questione-se. Como sua atual vida de oração pode ser comparada à de então? E quanto à oferta? Será que a intensidade e a alegria aumentaram? Poderia citar sua lealdade à igreja?

Pode afirmar que tem crescido? E o estudo bíblico? Tem aprendido a aprender?

1. Faça a si mesmo as perguntas acima.
2. Como tem sido seu desempenho nessas áreas? Crescimento é o objetivo do cristão. Maturidade é um mandamento.
1. De que forma é explicado o objetivo do crescimento cristão?
2. Como a maturidade pode ser um mandamento?

Aí estão. Quatro hábitos dignos de serem guardados. Não é bom saber que tais hábitos são bons para você? Faça-os parte do seu dia-a-dia, e cresça. Não cometa o mesmo engano do garoto. Não fique tão perto do local por onde entrou. É arriscado descansar na margem.

1. Faça uma auto-avaliação com base em cada um dos quatro hábitos da lista de Max.
2. Quais são os seus pontos fortes? E suas fraquezas?
3. O que pode fazer para melhorar?

Sabedoria da Palavra

- Leia Colossenses 1.9-12. Que pedidos específicos Paulo faz aos Colossenses? Como estes podem ajudar a mudar sua vida de oração?
- Leia 1 Pedro 2.2,3. Que mandamentos são dados? Que resultado é prometido? Que motivação é dada?
- Leia 2 Pedro 3.18. O que significa crescer na graça e no conhecimento? Como estão ambos relacionados?

CAPÍTULO 22 – DFW E O ESPÍRITO SANTO

Pontos a Ponderar

Não importa o quanto viaje, a jornada pode tornar-se cansativa. Não seria ótimo descobrir uma esteira rolante para o seu coração?

1. O que Max quer dizer com "uma esteira rolante para o seu coração"?

2. Você gostaria de ter uma? Explique.

Da próxima vez em que for preciso parar para descansar, vá em frente. Ele manterá sua vida na direção correta. E, na próxima vez em que fizer progressos – agradeça a Deus. Ele é o provedor do poder. E da próxima vez em que pensar em desistir? Não o faça, por favor, não o faça! Vire na próxima esquina. Você poderá surpreender-se com o que encontrar.

Além do mais, há um vôo para o lar que você não quer perder.

1. Como o Espírito Santo executa cada item acima listado? Você já vivenciou estas coisas em sua vida? Explique.
2. A que vôo para o lar Max se refere? Como você reserva sua passagem para ele?

Sabedoria da Palavra

- Leia Colossenses 1.28,29. Qual o objetivo de Paulo para seu ministério? O que ele fez para atingir seu objetivo? Há alguma diferença para nós? Explique.
- Leia Hebreus 10.32-36. Como o escritor encoraja seus leitores a não desistirem? Que razões apresenta? Quais são as promessas? Quais são os avisos?

CAPÍTULO 23 – O DEUS QUE BATALHA EM SEU FAVOR

Pontos a Ponderar

Quando não sabemos o que fazer, é melhor permanecermos quietos até que Ele tome uma providência.

1. Qual a sua opinião sobre este conselho?
2. É difícil para você executá-lo? Explique.

Se alguém se arremete contra uma pessoa, e o pai dela, que está próximo, diz que pode ser chamado em qualquer momento de necessidade, o que ela fará? Certamente, chamará seu pai. É o que costumo fazer. Quando a batalha é muito grande, peço a Deus que tome à frente. Peço que o Pai venha e lute por mim.

1. Como pode o Senhor batalhar por nós em nosso cotidiano?
2. O que isto significa? O que podemos esperar?

Seu trabalho é lutar. O nosso é confiar. Apenas confiar. Não administrar. Ou questionar. Ou tirar o volante das mãos dEle. Nosso trabalho é orar e aguardar. Nada mais é necessário.

1. Para você, o que significa "confiar"?
2. Qual o relacionamento entre agir pela fé e aguardar em oração?

Sabedoria da Palavra

- Leia Êxodo 14. De que maneiras Moisés confiou em Deus neste capítulo? Como Deus batalhou por ele? Qual foi o resultado?
- Leia 2 Crônicas 20.1-30. De acordo com esta passagem, como Josafá confiou em Deus? De que maneiras Deus batalhou por ele? Qual foi o resultado? Como você responde a afirmação do rei no versículo 12?
- Leia o Salmo 115. Que dificuldades o povo estava enfrentando? Como eles responderam? O que Deus fez? Como o exemplo deles pode nos auxiliar?

CAPÍTULO 24 – O DOM DA INFELICIDADE

Pontos a Ponderar

A infelicidade na terra cultiva o anseio pelo Céu. Agraciando-nos com um profundo descontentamento, Deus detém nossa atenção. Desta forma, a única tragédia é ficarmos satisfeitos prematuramente. Apegar-nos à terra. Ficarmos contentes em uma terra estranha. Unirmo-nos em casamento com os babilônios e esquecermos Jerusalém.

1. De que maneira a insatisfação pode ser um exemplo da graça?
2. O que significa "unirmo-nos em casamento com os babilônios e esquecermos Jerusalém"? Você já foi tentado a fazer isto? Explique.

E você nunca ficará completamente alegre na terra, pelo simples fato de que não foi feito para ela. Oh, terá sim, seus momentos de alegria e prazer. Conhecerá momentos, até mesmo dias de paz. Mas eles não se comparam com a alegria vindoura.

1. Por que Max diz que não fomos feitos para esta terra?
2. Qual seria o problema de ficarmos completamente satisfeitos na terra?

Diminua suas expectativas aqui na terra. Aqui não é o Céu, assim, não espere que o seja. Nunca haverá um noticiário sem más notícias. Nunca haverá uma igreja sem fofocas ou competições. Jamais um novo carro, uma nova vida ou um novo bebê poderão dar-lhe a alegria almejada. Apenas Deus pode fazer isto.

1. Como podemos, na prática, reduzir nossas expectativas terrenas?
2. Dê exemplos.

Sabedoria da Palavra

- Leia Eclesiastes 3.11. O que significa "ele pôs o mundo no coração do homem"?
- Leia 1 Pedro 2.11. Como um "estranho no mundo" vive diferente dos nativos? De que forma os desejos pecaminosos guerreiam contra a alma? De que maneira viver como um "estranho no mundo" ajuda nesta batalha?
- Leia 1 Coríntios 2.9,10. Por que esta é provavelmente a melhor imagem do Céu que podemos entender? Proporciona-lhe esperança esta passagem? Explique.

CAPÍTULO 25 – PERSEVERANDO NO CAMINHO DE DEUS

Pontos a Ponderar

Quem anseia um Céu sem Deus? O Céu não é Céu sem Deus.

1. Por que o Céu não seria mais o Céu sem Deus?
2. Você gostaria de viver em tal lugar? Explique.

Contentamento é uma difícil virtude. Por quê? Pois não há nada na terra que possa satisfazer nossos mais profundos desejos. Ansiamos ver Deus. As despedidas da vida estão sussurrando com rumores de que isto acontecerá – e não estaremos satisfeitos até que o façamos.

1. Você concorda com a explicação de Max quanto ao contentamento?
2. Existem outras razões que dificultariam a conquista? Explique.

Pelo fato de ter visto Deus, Isaías ficou aterrorizado. Por que tanto medo? Qual o motivo de tal tremor? Pois ele era a cera diante do sol. A vela no furacão. Um peixinho nas grandes cachoeiras. A glória de Deus era muito grande. Sua pureza, genuína. Seu poder, majestoso. A santidade de Deus ilumina o pecado do homem.

1. Defina a santidade de Deus.
2. Por que ela aterrorizaria Isaías?

Sabedoria da Palavra

- Leia Êxodo 33.12-23. Você teria pedido o mesmo que Moisés no versículo 18? O que significa ele não poder ter visto a "face" de Deus? Como isto está relacionado à santidade divina?
- Leia Isaías 6.1-7; Hebreus 12.14; Apocalipse 1.12-18. Como o povo normalmente responde à santidade de Deus revelada? Por quê? O que isto sugere sobre a maneira como deveríamos nos relacionar com Deus?
- Leia Salmos 17.15. De acordo com Davi, o que finalmente nos satisfará? Por que isto deveria nos satisfazer?

CAPÍTULO 26 – ÓRFÃOS NO PORTÃO

Pontos a Ponderar

A Terra não é o que esperamos. Pode ter seus momentos, contudo não corresponde às nossas expectativas. Alguma coisa dentro de nós anseia por mais.

1. Por que a Terra não é o que esperamos?
2. Você "anseia" por algo mais? Explique.

Ficamos tão ansiosos que exigimos. Exigimos neste mundo o que apenas o mundo vindouro pode oferecer. Nada de doenças, sofrimentos, lutas. Batemos o pé e balançamos os punhos, esquecendo-nos de que esta paz pode ser encontrada somente no Céu.

1. Você já se flagrou exigindo algo que pertence propriamente ao mundo vindouro?
2. Caso afirmativo, qual o motivo ? E qual o resultado?

Sabedoria da Palavra

- Leia Romanos 8.18-25. Como a esperança da "redenção" facilita a vida quanto ao "gemido"? Como esse gemido se revela? Qual a nossa última esperança?
- Leia 2 Coríntios 5.1-10. Com que propósito Deus nos fez (vv. 4,5)? Qual a associação com o andar pela fé (v. 7)? Nesse ínterim, qual é nosso objetivo (v. 9)? Que motivação é dada (v.10)?

CAPÍTULO 27 – AVISTANDO A NOVA TERRA

Pontos a Ponderar

Todos nós precisamos de auxílio algumas vezes. Esta jornada é íngreme, e alguns desistem dela.

1. Você já ficou tentado a desistir?
2. Que circunstâncias provocaram este pensamento?

O sangue humano do Cristo divino. Cobrindo nossos pecados. Proclamando a mensagem: *Fomos comprados e jamais poderemos ser vendidos.*

1. Que sentimento esta afirmação provoca em você?
2. Explique por quê.

Acredite-me quando digo que valerá a pena. Nenhum custo é muito alto. Se você precisa pagar o preço, faça-o. Nenhum sacrifício é grande demais. Caso precise deixar a bagagem no caminho, faça-o! Nenhuma perda pode ser comparada. Prossiga a qualquer custo!

1. Que preço poderá ser requisitado a você pela sua vida? Que sacrifícios você poderá precisar fazer?
2. Que "bagagem" você necessita "deixar no caminho"? Que bagagem você pode ajudar os outros a deixar?

Sabedoria da Palavra

- Leia Hebreus 12.22-24. De acordo com esta passagem, como será o nosso futuro? Como você o imagina? Ele o encoraja? Caso afirmativo, como? Caso contrário, por que não?
- Leia 1 Coríntios 6.19,20. De acordo com esta passagem, a quem você pertence? Como isto aconteceu? Qual deve ser nossa posição?
- Leia Romanos 8.35-39. Há algum inimigo que não faça parte desta lista? Quão certo é seu destino? Como este destino é traçado? Que sentimento isto causa em você? Por quê?

CAPÍTULO 28 – O NOME QUE APENAS DEUS CONHECE

Pontos a Ponderar

Não é incrível pensar que Deus reservou um nome só para você? O qual você nem mesmo sabe? Sempre aceitamos o nome que recebemos como um companheiro eterno. Nem tanto. Imagine o que isto implica. Aparentemente, seu futuro é tão promissor que lhe garante um novo título. A estrada à frente é tão brilhante que um novo nome torna-se necessário. Sua eternidade é tão especial que nenhum nome comum será adequado.

1. Você já teve um "nome secreto"? Você já deu nome a alguma outra pessoa? Se o fez, com que propósito? Qual o impacto causado nos receptores?
2. Caso você receba um "nome secreto", baseado em um traço característico, como gostaria de ser mais conhecido?

Então Deus tem um nome reservado só para você. Há mais para sua vida do que jamais imaginou. Há mais para sua história do que tem lido. Há mais para sua canção do que tem cantado. O bom autor guarda o melhor para o final. O grande compositor guarda o melhor para o final. E Deus, o Autor da vida e Compositor da esperança, tem feito o mesmo por você.

1. É fácil para você acreditar que "há mais para sua vida do que jamais imaginou"? Explique.
2. O que você mais anseia no mundo vindouro? Descreva.

Sabedoria da Palavra

- Leia Isaías 56.3-5. Que problemas Deus cita nestes versículos? O que o povo estava tentado a pensar? Você já pensou desta forma? Caso afirmativo, explique. O que Deus promete no verso 5?
- Leia Apocalipse 2.17. O que significa ser um vencedor? O que é prometido a tal pessoa? Você espera ser uma delas? Explique.
- Leia Sofonias 3.17. Qual o papel de Deus neste verso? Qual o tom deste versículo? Ele proporciona algo a ser ansiado? Ele o encoraja? Explique.